Les **C**onten
CLASSIQU
L A R

J'ai soif d'innocence

et autres nouvelles
à chute

Romain
Gary

Édition présentée,
annotée et commentée
par Carine PERREUR,
docteur ès-lettres

Direction de la publication : Carine GIRAC-MARINIER
Direction de la collection : Nicolas CASTELNAU-BAY
Direction éditoriale : Claude Nimmo
Édition : Marie-Hélène CHRISTENSEN
Lecture-correction : service lecture-correction LAROUSSE
Direction artistique : Uli MEINDL
Mise en page : MONIQUE BARNAUD, JOUVE Saran
Responsable de fabrication : Marlène DELBEKEN

Sommaire

Pour approfondir

L'auteur

 Une enfance à l'Est

Roman Kacew naît le 8 mai 1914 à Vilnius, dans l'actuelle Lituanie ; il est le fils de Arieh Leib Kacew, tout en se rêvant celui du grand acteur russe du cinéma muet Ivan Mosjoukine, et de Mina Owczyska, juive russe. Son père part en 1925 pour aller vivre avec une autre femme. Élevé par sa mère, qui, après avoir divorcé en 1926, s'installe avec son fils dans sa famille à Varsovie, il voyage, dans son enfance, entre la Lituanie, la Russie et la Pologne. Il parle le russe et le polonais, et sa mère lui fait partager son amour pour la France et la langue française. Ils quittent Varsovie en 1928 pour Nice. Romain y fait ses études, puis part à Paris étudier le droit. Il est naturalisé français en 1935. Romain Gary racontera avec humour son enfance et sa jeunesse dans *La Promesse de l'aube* (1960), son autobiographie romancée.

 Héros de guerre et écrivain-diplomate

Engagé dans l'aviation pendant la Seconde Guerre mondiale, il refuse l'armistice de juin 1940 et rejoint la Résistance en Afrique puis à Londres, parmi ceux qui deviendront les Compagnons de la Libération. Il termine la guerre en héros. Son premier roman publié, *Éducation européenne* (1945), est écrit pendant le conflit, le soir, après ses missions. Ses hauts faits militaires lui ouvrent les portes de la diplomatie. Pendant quinze ans, il est un écrivain-diplomate et occupe différents postes à l'étranger tout en publiant de nombreux romans.

 L'œuvre romanesque

Incapable de vivre sans écrire, Romain Gary publie, entre 1944 et 1980, pas loin de trente romans, des nouvelles, des articles de presse, des pièces de théâtre, et réalise deux films dont sa seconde femme, l'actrice américaine Jean Seberg, est l'héroïne. Curieux, lucide et cultivé, il porte une grande attention au monde qui l'entoure et ses textes renvoient souvent à l'histoire et à la société contemporaines : la France de l'après-guerre dans *Le Grand Vestiaire* (1948), la protection de la nature dans *Les Racines du ciel* (1956), la société américaine des années 1960 dans *Adieu Gary Cooper* (1969) et *Chien blanc* (1970)...

Une œuvre multiple

Doué d'une force de travail impressionnante, il publie parfois, entre ses écritures sous pseudonyme, ses réécritures et ses traductions, plusieurs romans dans une année. Si l'un de ses textes plus anciens est republié, il en profite pour le modifier, le corriger, le compléter. Devenu bilingue en anglais, il écrit aussi directement dans cette langue et traduit lui-même certains de ses textes de l'anglais au français ou du français à l'anglais. Et pourtant, aucune de ces langues n'est sa langue maternelle… Ses traductions ne sont d'ailleurs pas des transpositions d'une langue à l'autre, il réécrit, en même temps, une grande partie des textes qu'il traduit.

Deuxième vie romanesque

En 1974 paraît le premier roman d'un jeune auteur, Émile Ajar. Écrit dans une langue originale et vivante, il remporte un grand succès. Seuls quelques proches savent que Gary et Ajar ne font en fait qu'un. Gary engage même un petit cousin, Paul Pavlowitch, pour interpréter Ajar et faire croire à son existence. Sous ce nom, il écrit trois romans : *Gros-Câlin* (1974), *La Vie devant soi* (1975) et *L'Angoisse du roi Salomon* (1979), une fausse autobiographie, *Pseudo* (1976). Il est le seul écrivain à avoir obtenu deux fois le prix Goncourt : une fois pour *Les Racines du ciel* sous le nom de Gary, une fois pour *La Vie devant soi* sous le nom d'Ajar. Romain Gary se suicide le 2 décembre 1980. L'identité d'Émile Ajar est révélée un an plus tard.

 À retenir

Romain Gary est un écrivain français né en 1914. Écrivain, aviateur, héros de guerre, diplomate, dramaturge, cinéaste, il a multiplié les carrières et, passionné par l'écriture, a publié de nombreux romans, en s'essayant à tous les genres.

Il a également porté plusieurs pseudonymes. Né Roman Kacew, il choisit, pendant la guerre, de se baptiser Romain Gary. Ce nom devient ensuite officiellement le sien. Il a publié des textes sous différents noms, le plus célèbre étant celui d'Émile Ajar : avec lui, Gary a inventé un nouvel écrivain.

L'œuvre

 Nouvelles

Les débuts littéraires de Romain Gary sont liés au genre de la nouvelle. Ses premiers textes publiés, « L'Orage » et « Une petite femme » sont deux nouvelles parues dans la presse, en 1935. Son premier roman publié après la guerre, *Éducation européenne,* se déroule en Pologne, durant l'été 1942 ; dans le récit sont insérées sept petites histoires racontées par les personnages. Gary dit avoir fait ce choix parce qu'il écrivait pendant la guerre : s'il était mort au combat avant d'avoir terminé son roman, les nouvelles auraient, au moins, pu être publiées. Il écrit, par la suite, de nombreuses nouvelles pour la presse française et américaine. Une partie d'entre elles est rassemblée sous le titre de *Gloire à nos illustres pionniers* (1962) ; les six nouvelles présentées ici sont tirées de ce recueil.

 Inspirations

Gary connaît bien ses classiques, de toutes origines, et s'y réfère souvent, de manière directe ou détournée. La plupart de ses écrits contiennent des échos plus ou moins identifiables d'œuvres russes, françaises, polonaises, anglaises, américaines... qui soulignent l'ampleur et la diversité de sa culture. Romain Gary n'est pas seulement un écrivain français ; son écriture, ses thématiques et ses histoires se sont nourries de ce mélange d'influences et composent un ensemble riche et original. Parmi les auteurs qu'il aime citer se trouvent, par exemple, des écrivains comme Tolstoï, Dostoïevski, Gogol, Pouchkine, Conrad, Victor Hugo, Cervantès, Jack London, Mark Twain. Parmi ses contemporains, il vouait une admiration sans limite à Gabriel Garcia Márquez pour *Cent ans de solitude* qu'il conservait sur sa table de chevet avec *Le Hussard sur le toit* de Jean Giono et *Le Traité sur la Tolérance* de Voltaire.

 Écriture

L'une des caractéristiques de l'écriture de Gary est son usage constant de l'humour et de l'ironie. Il a, selon cette formule qu'il attribue à un personnage de son roman *Les Enchanteurs* (1973), le goût « de parler des choses sérieuses avec le sourire et de ne retrouver vraiment [son] sérieux que pour parler du sourire ». Il aime jouer avec la langue pour créer des formules expressives. Avec Émile Ajar, il invente un style qui, s'il découle de ses écrits précédents, s'affirme avec encore plus de force et de puissance. Les trois narrateurs des romans signés Ajar ont un rapport très personnel à la langue française, fait de jeux de mots, de détournements, d'inexactitudes volontaires.

 Valeurs

Romain Gary est un écrivain lucide, qui se penche avec beaucoup de justesse sur le monde qui l'entoure. Tout au long de sa vie et de son œuvre, il s'attache à défendre les valeurs auxquelles il croit, des valeurs humaines de liberté, de justice, de dignité, liées à la défense de l'homme contre l'oppression et les discriminations. Il se définit volontiers comme un « irrégulier », un « minoritaire-né ». Ses convictions se retrouvent dans ses romans ; il défend ainsi, dans *Les Racines du ciel*, les éléphants d'Afrique menacés par le braconnage, à une époque où l'on ne parlait pas encore d'écologie, dénonce, dans *Chien blanc*, l'injustice qui caractérise la société américaine des années 1960, où les populations noires et blanches ne sont pas égales… Il tente, de manière générale, de souligner ce qui rend l'homme humain.

 À retenir

Gary, qui rejette les étiquettes, se laisse difficilement ranger dans un genre particulier. Il suit moins les modes qu'il ne s'amuse à les contourner ou à les détourner. Tout au long de son œuvre, il se renouvelle sans cesse, s'essayant à de nombreux genres : roman, satire, essai, science-fiction, autobiographie, pièce de théâtre…

Pourquoi lire l'œuvre ?

Voyager

Les nouvelles de ce recueil n'ont pas un cadre spatio-temporel unique et restreint. Elles invitent, au contraire, le lecteur à de grands voyages, à l'image du héros de « Tout va bien sur le Kilimandjaro » qui écrit « plus de mille cartes postales envoyées de tous les coins du monde » : les histoires se déroulent à Paris, à Moscou, en Allemagne, à Haïti, dans les îles polynésiennes... Les périodes historiques sont tout aussi variées puisqu'une nouvelle se passe au début du XXe siècle (« Tout va bien sur le Kilimandjaro »), une autre dans les années 1930 (« Citoyen pigeon »), une pendant la Seconde Guerre mondiale (« Un humaniste »), et les trois dernières au milieu du XXe siècle. Le dépaysement est garanti...

Être surpris

Les histoires racontées réservent des surprises au lecteur. Les personnages ne sont pas toujours ce qu'ils semblent être : la belle Alfiera, dans « Le Faux », le grand voyageur Albert Mézigue, dans « Tout va bien sur le Kilimandjaro », l'innocente Taratonga, dans « J'ai soif d'innocence », cachent notamment quelques secrets. Ironiques, les nouvelles demandent aussi à être décryptées : les discours des narrateurs et des personnages ne doivent pas toujours être pris au premier degré. Le conférencier de « Je parle de l'héroïsme » est-il vraiment un héros ? Le héros de « J'ai soif d'innocence » est-il aussi désintéressé qu'il le prétend ? Les serviables employés d'« Un humaniste » sont-ils vraiment bienveillants ? Les différentes nouvelles s'achèvent de manière inattendue, avec des renversements, des coups de théâtre et des révélations qui changent le sens de l'histoire. On peut alors les relire en percevant différemment les gestes et les paroles des personnages.

Réfléchir

Même si ces nouvelles sont situées dans des époques et des lieux très différents, elles peuvent être, malgré tout, très proches du lecteur et de ses préoccupations. Gary y parle avant tout de l'homme, en développant des thèmes qui restent toujours d'actualité. La confiance en l'humanité, le mensonge et la trahison, l'attitude du touriste dans un pays étranger, le faux héroïsme, le pouvoir de la littérature sont autant de thèmes auxquels ces nouvelles invitent à réfléchir. De manière plus large se pose la question fondamentale : peut-on, doit-on faire confiance à son prochain ?

 Sourire

Certaines nouvelles ont des thématiques graves mais, chez Gary, l'humour n'est jamais loin.

Les personnages sont souvent hauts en couleur et perdus dans l'illusion, le mensonge ou l'ignorance. Le lecteur, poussé à regarder au-delà des apparences, découvre qu'ils peuvent être ridicules, naïfs, vantards et sourit de voir les différents points de vue se confronter. Le conférencier de « Je parle de l'héroïsme » se présente, par exemple, comme un héros qui chasse vaillamment le requin mais, dans le regard de son hôte, il se ridiculise avec ses grandes paroles vides et ne parvient qu'à planter un harpon dans la coque de son bateau. Dans un autre genre, « Citoyen pigeon », en quittant peu à peu le cadre réaliste, plonge le lecteur dans un univers étrange et incongru où un pigeon peut conduire un traîneau et parler parfaitement le russe.

 ## À retenir

À la fois drôles et sérieuses, les nouvelles de Romain Gary divertissent tout en poussant à la réflexion. Elles entraînent le lecteur à la découverte de lieux variés mais ces grands voyages le rapprochent finalement de lui-même : de près comme de loin il est confronté à l'homme et à son humanité, ou à l'absence de celle-ci.

J'ai soif d'innocence

et autres nouvelles

à chute

Romain
Gary

Nouvelles

J'ai soif d'innocence

Lorsque je décidai enfin de quitter la civilisation et ses fausses valeurs et de me retirer dans une île du Pacifique, sur un récif de corail[1], au bord d'une lagune[2] bleue, le plus loin possible d'un monde mercantile[3] entièrement tourné vers les biens matériels, je le fis pour des raisons qui ne surprendront que les natures vraiment endurcies.

J'avais soif d'innocence. J'éprouvais le besoin de m'évader de cette atmosphère de compétition frénétique[4] et de lutte pour le profit où l'absence de tout scrupule[5] était devenue la règle et où, pour une nature un peu délicate et une âme d'artiste comme la mienne, il devenait de plus en plus difficile de se procurer ces quelques facilités matérielles indispensables à la paix de l'esprit.

Oui, c'est surtout de désintéressement que j'avais besoin. Tous ceux qui me connaissent savent le prix que j'attache à cette qualité, la première et peut-être même la seule que j'exige de mes amis. Je rêvais de me sentir entouré d'êtres simples et serviables[6], au cœur entièrement incapable de calculs sordides[7], auxquels je pourrais tout demander, leur accordant mon amitié en échange, sans craindre que quelque mesquine considération d'intérêt ne vînt ternir nos rapports.

---

1. **Récif de corail :** ensemble de coraux qui forme, sous l'eau, comme un gros rocher.
2. **Lagune :** étendue d'eau de mer séparée de la mer par une bande de terre.
3. **Mercantile :** qui ne pense qu'à gagner de l'argent.
4. **Frénétique :** acharnée, enragée.
5. **L'absence de tout scrupule :** l'absence de toute hésitation, de toute réserve morale, de tout cas de conscience.
6. **Serviables :** prêts à aider.
7. **Sordides :** mesquins, méprisables.

Je liquidai[1] donc les quelques affaires personnelles dont je m'occupais et arrivai à Tahiti au début de l'été.

Je fus déçu par Papeete[2].

25 La ville est charmante, mais la civilisation y montre partout le bout de l'oreille, tout y a un prix, un salaire, un domestique y est un salarié et non un ami et s'attend à être payé au bout du mois, l'expression « gagner sa vie » y revient avec une insistance pénible et, ainsi que je l'ai dit, l'argent était 30 une des choses que j'étais décidé à fuir le plus loin possible.

Je résolus donc d'aller vivre dans une petite île perdue des Marquises[3], Taratora, que je choisis au hasard sur la carte, et où le bateau du Comptoir perlier d'Océanie jetait l'ancre[4] trois fois par an.

35 Dès que je pris pied[5] sur l'île, je sentis que mes rêves étaient enfin sur le point de se réaliser.

Toute la beauté mille fois décrite, mais toujours bouleversante, lorsqu'on la voit enfin de ses propres yeux, du paysage polynésien, s'offrit à moi au premier pas que je fis sur la 40 plage : la chute vertigineuse[6] des palmiers de la montagne à la mer, la paix indolente[7] d'une lagune que les récifs entouraient de leur protection, le petit village aux paillotes[8] dont la légèreté même semblait indiquer une absence de tout souci et d'où courait déjà vers moi, les bras ouverts, une popula-45 tion dont, je le sentis immédiatement, on pouvait tout obtenir par la gentillesse et l'amitié.

---

1. **Je liquidai :** je vendis, je mis fin à.
2. **Papeete :** commune de la Polynésie française, Papeete est la plus grande ville de l'île de Tahiti.
3. **Les Marquises :** îles de la Polynésie française.
4. **Jetait l'ancre :** s'arrêtait, en parlant d'un bateau.
5. **Je pris pied :** je m'installai.
6. **Vertigineuse :** étourdissante, impressionnante.
7. **Indolente :** languissante, nonchalante, peu énergique.
8. **Paillotes :** huttes en paille, caractéristique des pays chauds.

Car, comme toujours avec moi, c'est surtout à la qualité des êtres humains que je fus le plus sensible.

Je trouvai là sur pied une population de quelques centaines
50 de têtes[1] qu'aucune des considérations de notre capitalisme mesquin ne paraissait avoir touchée et qui était à ce point indifférente au lucre[2] que je pus m'installer dans la meilleure paillote du village et m'entourer de toutes les nécessités immédiates de l'existence, avoir mon pêcheur, mon jardinier, mon
55 cuisinier, tout cela sans bourse délier[3], sur la base de l'amitié et de la fraternité la plus simple et la plus touchante et dans le respect mutuel.

Je devais cela à la pureté d'âme des habitants, à leur merveilleuse candeur[4], mais aussi à la bienveillance particulière
60 à mon égard[5] de Taratonga.

Taratonga était une femme âgée d'une cinquantaine d'années, fille d'un chef dont l'autorité s'était étendue autrefois sur plus de vingt îles de l'archipel[6]. Elle était entourée d'un amour filial[7] par la population de l'île et, dès mon arrivée,
65 je déployai tous mes efforts pour m'assurer son amitié. Je le fis tout naturellement, sans essayer de me montrer différent de ce que j'étais, mais, au contraire, en lui ouvrant mon âme. Je lui exposai les raisons qui m'avaient poussé à venir dans son île, mon horreur du vil[8] mercantilisme et du maté-

---

1. **Quelques centaines de têtes :** quelques centaines de personnes.
2. **Lucre :** profit recherché avec avidité.
3. **Sans bourse délier :** sans ouvrir sa bourse, sans dépenser d'argent.
4. **Candeur :** simplicité, innocence.
5. **À mon égard :** envers moi.
6. **Archipel :** ensemble d'îles.
7. **Amour filial :** l'amour ressenti par un fils ou une fille envers ses parents.
8. **Vil :** méprisable, abject.

70 rialisme[1] sordide[2], mon besoin déchirant de redécouvrir
ces qualités de désintéressement et d'innocence hors des-
quelles il n'est point de survie pour l'humain, et je lui confiai
ma joie et ma gratitude[3] d'avoir enfin trouvé tout cela auprès
de son peuple. Taratonga me dit qu'elle me comprenait par-
75 faitement et qu'elle n'avait elle-même qu'un but dans la vie :
empêcher que l'argent ne vînt souiller[4] l'âme des siens. Je
compris l'allusion et l'assurai solennellement que pas un
sou n'allait sortir de ma poche pendant tout mon séjour à
Taratora. Je rentrai chez moi et, pendant les semaines qui
80 suivirent, je fis de mon mieux pour observer la consigne[5]
qui m'avait été donnée si discrètement. Je pris même tout
l'argent que j'avais et l'enterrai dans un coin de ma case[6].

J'étais dans l'île depuis trois mois, lorsqu'un jour un gamin
m'apporta un cadeau de celle que je pouvais désormais appe-
85 ler mon amie Taratonga.

C'était un gâteau de noix, qu'elle avait préparé elle-même
à mon intention[7], mais ce qui me frappa immédiatement ce
fut la toile dans laquelle le gâteau était enveloppé.

C'était une grossière toile à sac, mais peinte de couleurs
90 étranges, qui me rappelaient vaguement quelque chose ; et,
au premier abord, je ne sus quoi.

J'examinai la toile plus attentivement et mon cœur fit un
bond prodigieux dans ma poitrine.

Je dus m'asseoir.

---

1. **Matérialisme :** attitude de quelqu'un pour qui comptent surtout les
   plaisirs et biens matériels.
2. **Sordide :** qui est d'une grande bassesse, ignoble, méprisable.
3. **Gratitude :** reconnaissance.
4. **Souiller :** salir.
5. **Observer la consigne :** suivre les instructions.
6. **Case :** habitation traditionnelle, simple hutte construite dans les pays
   chauds.
7. **À mon intention :** pour moi.

95   Je pris la toile sur mes genoux et la déroulai soigneusement. C'était un rectangle de cinquante centimètres sur trente et la peinture était craquelée et à demi effacée par endroits.

Je restai là un moment, fixant la toile d'un œil incrédule.

Mais il n'y avait pas de doute possible.

100   J'avais devant moi un tableau de Gauguin[1].

Je ne suis pas grand connaisseur en matière de peinture, mais il y a aujourd'hui des noms dont chacun sait reconnaître sans hésiter la manière[2]. Je déployai encore une fois la toile d'une main tremblante et me penchai sur elle. Elle représen-
105 tait un petit coin de la montagne tahitienne et des baigneuses au bord d'une source, et les couleurs, les silhouettes, le motif lui-même étaient à ce point reconnaissables que, malgré le mauvais état de la toile, il était impossible de s'y tromper.

J'eus, à droite, du côté du foie, ce pincement douloureux
110 qui, chez moi, accompagne toujours les grands élans du cœur.

Une œuvre de Gauguin, dans cette petite île perdue ! Et Taratonga qui s'en était servie pour envelopper son gâteau ! Une peinture qui, vendue à Paris, devait valoir cinq millions ! Combien d'autres toiles avait-elle utilisées ainsi pour faire
115 des paquets ou pour boucher des trous ? Quelle perte prodigieuse[3] pour l'humanité !

Je me levai d'un bond et me précipitai chez Taratonga pour la remercier de son gâteau.

Je la trouvai en train de fumer sa pipe devant sa maison,
120 face à la lagune. C'était une forte femme, aux cheveux grisonnants, et malgré ses seins nus, elle conservait, même dans cette attitude, une dignité admirable.

— Taratonga, lui dis-je, j'ai mangé ton gâteau. Il était excellent. Merci.

_____

1. **Gauguin** : peintre français (1848-1903) qui vécut de nombreuses années en Polynésie. Les paysages et habitants polynésiens ont été le sujet de beaucoup de ses tableaux.
2. **La manière** : le style, la façon de peindre de l'artiste.
3. **Prodigieuse** : incroyable, considérable.

125   Elle parut contente.

— Je t'en ferai un autre aujourd'hui.

J'ouvris la bouche, mais ne dis rien. C'était le moment de faire preuve de tact[1]. Je n'avais pas le droit de donner à cette femme majestueuse[2] l'impression qu'elle était une sauvage qui
130   se servait des œuvres d'un des plus grands génies du monde pour faire des paquets. J'avoue que je souffre d'une sensibilité excessive[3], mais je tenais à éviter cela à tout prix.

Quitte à recevoir un autre gâteau enveloppé dans une toile de Gauguin, je devais me taire. La seule chose qui n'a pas de
135   prix, c'est l'amitié.

Je revins donc dans ma case et attendis.

L'après-midi, le gâteau arriva, enveloppé dans une autre toile de Gauguin. Elle était dans un état encore plus piteux[4] que la précédente. Quelqu'un semblait même avoir gratté la
140   toile avec un couteau. Je faillis me précipiter chez Taratonga. Mais je me retins. Il fallait procéder avec prudence. Le lendemain, j'allai la voir et lui dis avec simplicité que son gâteau était la meilleure chose que j'eusse jamais mangée.

Elle sourit avec indulgence et bourra sa pipe.

145   Au cours des huit jours suivants, je reçus de Taratonga trois gâteaux enveloppés dans trois toiles de Gauguin. Je vivais des heures extraordinaires. Mon âme chantait — il n'y a pas d'autre mot pour décrire les heures d'intense émotion artistique que j'étais en train de vivre.

150   Puis le gâteau continua à arriver, mais sans enveloppe.

Je perdis complètement le sommeil. Ne restait-il plus d'autres toiles, ou bien Taratonga avait-elle simplement oublié d'envelopper le gâteau ? Je me sentais vexé et même légèrement indigné. Il faut bien reconnaître que malgré toutes leurs

---

1. **Tact :** délicatesse, doigté.
2. **Majestueuse :** noble et digne.
3. **Je souffre d'une sensibilité excessive :** je suis trop sensible.
4. **Piteux :** pitoyable, déplorable.

155 qualités, les indigènes[1] de Taratora ont également quelques graves défauts dont une certaine légèreté, qui fait qu'on ne peut jamais compter sur eux complètement. Je pris quelques pilules pour me calmer et essayai de trouver un moyen de parler à Taratonga sans attirer son attention sur son igno-
160 rance. Finalement, j'optai pour la franchise. Je retournai chez mon amie.

— Taratonga, lui dis-je, tu m'as envoyé à plusieurs reprises des gâteaux. Ils étaient excellents. Ils étaient, de plus, enveloppés dans des toiles de sacs peintes qui m'ont vivement
165 intéressé. J'aime les couleurs gaies. D'où les as-tu ? En as-tu d'autres ?

— Oh ! ça... dit Taratonga avec indifférence. Mon grand-père en avait tout un tas.

— Tout... un tas ? bégayai-je.
170 — Oui, il les avait reçues d'un Français qui habitait l'île et qui s'amusait comme ça, à couvrir des toiles de sacs avec des couleurs. Il doit m'en rester encore.

— Beaucoup ? murmurai-je.

— Oh ! je ne sais pas. Tu peux les voir. Viens.
175 Elle me conduisit dans une grange pleine de poissons secs et de coprah[2]. Par terre, couvertes de sable, il y avait une douzaine de toiles de Gauguin. Elles étaient toutes peintes sur des sacs et avaient beaucoup souffert, mais il y en avait plusieurs qui étaient encore en assez bon état. J'étais pâle et tenais à
180 peine sur mes jambes. « Mon Dieu, pensai-je encore, quelle perte irréparable pour l'humanité, si je n'étais pas passé par là ! » Cela devait aller chercher dans les trente millions...

— Tu peux les prendre, si tu veux, dit Taratonga.

Un combat terrible se livra alors dans mon âme. Je connais-
185 sais le désintéressement de ces êtres merveilleux et ne vou-

---

1. **Indigènes :** habitants originels du pays, qui y vivent depuis toujours.
2. **Coprah :** partie de la noix de coco qui, séchée, sert à fabriquer l'huile de coco.

lais pas introduire dans l'île, dans l'esprit de ses habitants, ces notions mercantiles de prix et de valeur qui ont déjà sonné le glas[1] de tant de paradis terrestres. Mais tous les préjugés[2] de notre civilisation, que je tenais malgré tout bien ancrés[3] en moi, m'empêchaient d'accepter un tel cadeau sans rien offrir en échange. D'un geste, j'arrachai de mon poignet la superbe montre en or que je possédais et la tendis à Taratonga.

— Laisse-moi t'offrir à mon tour un cadeau, la priai-je.

— Nous n'avons pas besoin de ça ici pour savoir l'heure, dit-elle. Nous n'avons qu'à regarder le soleil.

Je pris alors une décision pénible.

— Taratonga, lui dis-je, je suis malheureusement obligé de rentrer en France. Des raisons humanitaires[4] me l'ordonnent. Justement, le bateau arrive dans huit jours et je vais vous quitter. J'accepte ton cadeau. Mais à condition que tu me permettes de faire quelque chose pour toi et les tiens. J'ai un peu d'argent. Oh ! très peu. Permets-moi de te le laisser. Vous avez tout de même besoin d'outils et de médicaments.

— Comme tu voudras, dit-elle avec indifférence.

Je remis sept cent mille francs à mon amie. Puis je saisis les toiles et courus vers ma paillote. Je passai une semaine d'inquiétude en attendant le bateau. Je ne savais pas ce que je craignais au juste. Mais j'avais hâte de partir de là. Ce qui caractérise certaines natures artistiques, c'est que la contemplation égoïste[5] de la beauté ne leur suffit pas, elles éprouvent au plus haut point le besoin de partager cette joie avec

---

1. **Sonné le glas :** les cloches des églises sonnent le glas pour annoncer une mort ou un enterrement ; l'expression sonner le glas signifie annoncer la fin, l'échec.

2. **Préjugés :** a priori, jugements fait à l'avance, idées préconçues.

3. **Ancrés :** fortement attachés, fixés solidement, enracinés.

4. **Humanitaires :** qui recherchent le bien-être de l'humanité, tentent de venir en aide à ceux qui en ont besoin.

5. **Contemplation égoïste :** le fait de regarder quelque chose sans le partager avec d'autres.

leurs semblables. J'étais pressé de rentrer en France, d'aller chez les marchands de tableaux leur offrir mes trésors. Il y en avait pour une centaine de millions. La seule chose qui m'ir-
215 ritait, c'était que l'État allait sûrement prélever trente à quarante pour cent du prix obtenu. Car tel est l'envahissement par notre civilisation du domaine le plus privé du monde, celui de la beauté.

À Tahiti, je dus attendre quinze jours un bateau pour la
220 France. Je parlai aussi peu que possible de mon atoll et de Taratonga. Je ne voulais pas que l'ombre de quelque main commerçante vînt se jeter sur mon paradis. Mais le propriétaire de l'hôtel où j'étais descendu connaissait bien l'île et Taratonga.

225 — C'est une fille assez sensationnelle, me dit-il un soir.

Je gardai le silence. Je trouvai le mot « fille », appliqué à un des êtres les plus nobles que je connaisse, parfaitement outrageant[1].

— Elle vous a naturellement fait voir ses peintures ?
230 demanda mon hôte.

Je me redressai.

— Pardon ?

— Elle fait de la peinture et assez bien, ma parole. Elle a passé trois ans aux Arts décoratifs[2] à Paris, il y a une ving-
235 taine d'années. Et lorsque les cours du coprah[3] sont devenus ce que vous savez, avec les synthétiques[4], elle est revenue dans l'île. Elle fait des espèces d'imitations de Gauguin assez étonnantes. Elle a un contrat régulier avec l'Australie. Ils lui paient ses toiles vingt mille francs la pièce. Elle vit de ça...
240 Qu'est-ce qu'il y a, mon vieux ? Ça ne va pas ?

— Ce n'est rien, bafouillai-je.

---

1. **Outrageant :** injurieux, offensant, insultant.
2. **Arts décoratifs :** l'École nationale supérieure des arts décoratifs, grande école artistique.
3. **Les cours du coprah :** le prix auquel le coprah s'achète et se vend.
4. **Synthétiques :** matières non naturelles.

Je ne sais pas où je trouvai la force de me lever, de monter dans ma chambre et de me jeter sur le lit. Je demeurai là, prostré[1], saisi par un profond, un invincible[2] dégoût. Une
245 fois de plus, le monde m'avait trahi. Dans les grandes capitales comme dans le plus petit atoll du Pacifique, les calculs les plus sordides avilissent[3] les âmes humaines. Il ne me restait vraiment qu'à me retirer dans une île déserte et à vivre seul avec moi-même si je voulais satisfaire mon lancinant[4]
250 besoin de pureté.

---

1. **Prostré :** abattu, accablé.
2. **Invincible :** impossible à vaincre, à surmonter, qui résiste à tout.
3. **Avilissent :** déshonorent, rabaissent, déprécient, dégradent.
4. **Lancinant :** qui obsède, qui tourmente.

Un humaniste

Au moment de l'arrivée au pouvoir en Allemagne du Führer[1] Adolf Hitler, il y avait à Munich un certain Karl Loewy, fabricant de jouets de son métier, un homme jovial[2], optimiste, qui croyait à la nature humaine, aux bons cigares, à la démocratie, et, bien qu'assez peu aryen[3], ne prenait pas trop au sérieux les proclamations antisémites[4] du nouveau chancelier[5], persuadé que la raison, la mesure et un certain sens inné[6] de la justice, si répandu malgré tout dans le cœur des hommes, allaient l'emporter sur leurs aberrations passagères[7].

Aux avertissements que lui prodiguaient ses frères de race, qui l'invitaient à les suivre dans l'émigration, Herr[8] Loewy répondait par un bon rire et, bien carré[9] dans son fauteuil, un cigare aux lèvres, il évoquait les amitiés solides qu'il avait nouées dans les tranchées pendant la guerre de 14-18, amitiés dont certaines, aujourd'hui fort haut placées, n'allaient pas manquer de jouer en sa faveur, le cas échéant[10]. Il offrait à ses visiteurs inquiets un verre de liqueur, levait le sien « à

---

1. **Führer** : en allemand, « guide ». Hitler s'est désigné par ce titre à partir de 1934.
2. **Jovial** : gai, joyeux.
3. **Aryen** : correspondant au type mis en valeur par les doctrines racistes du régime nazi. Ce mot renvoie à des populations blanches européennes d'origines nordiques ou germaniques.
4. **Les proclamations antisémites** : les discours hostiles aux Juifs.
5. **Chancelier** : en Allemagne, terme employé pour désigner le Premier ministre.
6. **Inné** : que l'on a dès la naissance, sans devoir l'apprendre.
7. **Leurs aberrations passagères** : leurs égarements, leurs folies temporaires.
8. **Herr** : « monsieur », en allemand.
9. **Carré** : installé confortablement.
10. **Le cas échéant** : si l'occasion se présente, au cas où.

la nature humaine », à laquelle, disait-il, il faisait entièrement confiance, qu'elle fût revêtue d'un uniforme nazi[1] ou prussien,
20 coiffée d'un chapeau tyrolien[2] ou d'une casquette d'ouvrier. Et le fait est que les premières années du régime ne furent pour l'ami Karl ni trop périlleuses[3], ni même pénibles. Il y eut, certes, quelques vexations, quelques brimades[4], mais, soit que les « amitiés des tranchées » eussent en effet joué dis-
25 crètement en sa faveur, soit que sa jovialité bien allemande, son air de confiance eussent, pendant quelque temps, retardé les enquêtes à son sujet, alors que tous ceux dont l'extrait de naissance laissait à désirer prenaient le chemin de l'exil, notre ami continua à vivre paisiblement entre sa fabrique de
30 jouets et sa bibliothèque, ses cigares et sa bonne cave[5], soutenu par son optimisme inébranlable[6] et la confiance qu'il avait dans l'espèce humaine. Puis vint la guerre, et les choses se gâtèrent quelque peu. Un beau jour, l'accès de sa fabrique lui fut brutalement interdit et, le lendemain, des jeunes gens
35 en uniforme se jetèrent sur lui et le malmenèrent[7] sérieusement. M. Karl donna quelques coups de fil à droite et à gauche, mais les « amitiés du front » ne répondaient plus au téléphone. Pour la première fois, il se sentit un peu inquiet. Il entra dans sa bibliothèque et promena un long regard sur

---

1. **Nazi :** membre du parti national-socialiste ; fondé en Allemagne en 1920, le parti nazi se caractérisait notamment par son antisémitisme et sa conviction de la supériorité du type aryen. En 1933, Adolf Hitler devint chancelier de l'Allemagne et tous les autres partis disparurent. Le régime nazi resta en place jusqu'à la fin de la Seconde Guerre mondiale.
2. **Chapeau tyrolien :** chapeau traditionnel de la région du Tyrol, en Autriche.
3. **Périlleux :** qui comporte des risques, dangereux.
4. **Brimade :** synonyme de « vexation », « humiliation ».
5. **Sa bonne cave :** les bonnes bouteilles de vin gardées dans sa cave.
6. **Inébranlable :** qui ne peut pas être affaibli ou remis en question, ferme, solide.
7. **Le malmenèrent :** le traitèrent mal, avec violence.

40 les livres qui couvraient les murs. Il les regarda longuement, gravement : ces trésors accumulés parlaient tous en faveur des hommes, ils les défendaient, plaidaient en leur faveur[1] et suppliaient M. Karl de ne pas perdre courage, de ne pas désespérer. Platon, Montaigne, Érasme, Descartes, Heine[2]... Il
45 fallait faire confiance à ces illustres pionniers[3] ; il fallait patienter, laisser à l'humain le temps de se manifester, de s'orienter dans le désordre et le malentendu, et de reprendre le dessus. Les Français avaient même trouvé une bonne expression pour cela ; ils disaient : « Chassez le naturel, il revient
50 au galop. » Et la générosité, la justice, la raison allaient triompher cette fois encore, mais il était évident que cela risquait de prendre quelque temps. Il ne fallait ni perdre confiance ni se décourager ; cependant, il était tout de même bon de prendre quelques précautions.
55 M. Karl s'assit dans un fauteuil et se mit à réfléchir.

C'était un homme rond, au teint rose, aux lunettes malicieuses, aux lèvres fines dont les contours paraissaient avoir gardé la trace de tous les bons mots qu'elles avaient lancés.

Il contempla longuement ses livres, ses boîtes de cigares,
60 ses bonnes bouteilles, ses objets familiers, comme pour leur demander conseil, et peu à peu son œil s'anima, un bon sourire astucieux se répandit sur sa figure, et il leva son verre de fine[4] vers les milliers de volumes de la bibliothèque, comme pour les assurer de sa fidélité.

---

1. **Plaidaient en leur faveur :** prenaient leur défense, parlaient d'eux de manière positive et favorable.
2. **Platon, Montaigne, Érasme, Descartes, Heine :** Platon est un philosophe grec de l'Antiquité, Michel de Montaigne (1533-1592), Érasme (1469-1536) et René Descartes (1596-1650) sont des penseurs et philosophes, Heinrich Heine (1797-1856) est un poète et écrivain allemand.
3. **Illustres pionniers :** les pionniers accomplissent les premiers une tâche nouvelle, explorent, découvrent. Les « illustres pionniers » sont ici de grands idéologues, célèbres et reconnus.
4. **Fine :** une eau-de-vie, un genre d'alcool.

⁶⁵   M. Karl avait à son service un couple de braves Munichois[1] qui s'occupaient de lui depuis quinze ans. La femme servait d'économe[2] et de cuisinière, préparait ses plats favoris ; l'homme était chauffeur, jardinier et gardien de la maison. Herr Schutz avait une seule passion : la lecture. Souvent,
⁷⁰ après le travail, alors que sa femme tricotait, il restait pendant des heures penché sur un livre que Herr Karl lui avait prêté. Ses auteurs favoris étaient Goethe, Schiller[3], Heine, Érasme ; il lisait à haute voix à sa femme les passages les plus nobles[4] et inspirés, dans la petite maison qu'ils occupaient au
⁷⁵ bout du jardin. Souvent, lorsque M. Karl se sentait un peu seul, il faisait venir l'ami Schutz dans sa bibliothèque, et là, un cigare aux lèvres, ils s'entretenaient longuement de l'immortalité de l'âme, de l'existence de Dieu, de l'humanisme[5], de la liberté et de toutes ces belles choses que l'on trouvait
⁸⁰ dans les livres qui les entouraient et sur lesquels ils promenaient leurs regards reconnaissants.

     Ce fut donc vers l'ami Schutz et sa femme que Herr Karl se tourna en cette heure de péril[6]. Il prit une boîte de cigares et une bouteille de schnaps[7], se rendit dans la petite maison
⁸⁵ au bout du jardin et exposa son projet à ses amis.

---

1. **Munichois :** habitants de la ville de Munich, en Allemagne.
2. **Économe :** personne qui s'occupe des aspects financiers et matériels, qui gère les dépenses d'une maison ou d'un établissement.
3. **Goethe, Schiller :** Johann Wolfgang von Goethe (1749-1832) et Friedrich von Schiller (1759-1805) sont des écrivains et poètes allemands.
4. **Les passages les plus nobles :** les passages les plus beaux, les plus admirables.
5. **L'humanisme :** courant de pensée qui affirme que l'homme est au centre de l'univers, qu'il en est la valeur la plus importante ; l'humaniste a confiance en l'humanité et dans les facultés humaines, dans la capacité de l'homme à se perfectionner pour s'approcher de l'idée qu'il se fait de lui.
6. **Péril :** grand risque, danger.
7. **Schnaps :** eau-de-vie allemande.

Dès le lendemain, Herr et Frau Schutz se mirent au travail.
Le tapis de la bibliothèque fut roulé, le plancher percé et
une échelle installée pour descendre dans la cave. L'ancienne
entrée de la cave fut murée. Une bonne partie de la biblio-
90 thèque y fut transportée, suivie par les boîtes de cigares ; le
vin et les liqueurs s'y trouvaient déjà. Frau Schutz aména-
gea la cachette avec tout le confort possible et, en quelques
jours, avec ce sens bien allemand du *gemütlich*[1], la cave devint
une petite pièce agréable, bien arrangée. Le trou dans le par-
95 quet fut soigneusement dissimulé par un carreau bien ajusté[2]
et recouvert par le tapis. Puis Herr Karl sortit pour la dernière fois dans la rue, en compagnie de Herr Schutz, signa
certains papiers, effectua une vente fictive[3] pour mettre son
usine et sa maison à l'abri d'une confiscation[4] ; Herr Schutz
100 insista d'ailleurs pour lui remettre des contre-lettres[5] et des
documents qui allaient permettre au propriétaire légitime[6]
de rentrer en possession de ses biens, le moment venu. Puis
les deux complices revinrent à la maison et Herr Karl, un
sourire malin aux lèvres, descendit dans sa cachette pour y
105 attendre, bien à l'abri, le retour de la bonne saison.

Deux fois par jour, à midi et à sept heures, Herr Schutz
soulevait le tapis, retirait le carreau, et sa femme descendait
dans la cave des petits plats bien cuisinés, accompagnés d'une
bouteille de bon vin, et, le soir, Herr Schutz venait réguliè-
110 rement s'entretenir avec son employeur et ami de quelque

---

1. **Gemütlich** : signifie « confortable » en allemand.
2. **Bien ajusté** : coupé juste à la bonne taille.
3. **Vente fictive** : fausse vente.
4. **Confiscation** : forme de sanction qui consiste à s'emparer de manière
   officielle des biens d'une personne, pour les attribuer à l'État ou à une
   autre personne.
5. **Contre-lettre** : lettre secrète qui annule ou modifie des papiers signés
   officiellement.
6. **Légitime** : reconnu par la loi ; le propriétaire légitime est ici Herr Karl,
   le véritable propriétaire de l'usine.

sujet élevé, des droits de l'homme, de la tolérance, de l'éternité de l'âme[1], des bienfaits de la lecture et de l'éducation, et la petite cave paraissait tout illuminée par ces vues généreuses et inspirées[2].

115 Au début, M. Karl se faisait également descendre des journaux, et il avait son poste de radio à côté de lui, mais, au bout de six mois, comme les nouvelles devenaient de plus en plus décourageantes et que le monde semblait aller vraiment à sa perdition[3], il fit enlever la radio, pour qu'aucun écho d'une
120 actualité passagère ne vînt entamer la confiance inébranlable qu'il entendait conserver dans la nature humaine, et, les bras croisés sur la poitrine, un sourire aux lèvres, il demeura ferme dans ses convictions[4], au fond de sa cave, refusant tout contact avec une réalité accidentelle et sans lendemain. Il finit
125 même par refuser de lire les journaux, par trop déprimants, et se contenta de relire les chefs-d'œuvre de sa bibliothèque, puisant au contact de ces démentis que le permanent infligeait au temporaire[5] la force qu'il fallait pour conserver sa foi.

Herr Schutz s'installa avec sa femme dans la maison, qui
130 fut miraculeusement épargnée par les bombardements. À l'usine, il avait d'abord eu quelques difficultés, mais les papiers étaient là pour prouver qu'il était devenu le propriétaire légitime de l'affaire, après la fuite de Herr Karl à l'étranger.

---

1. **L'éternité de l'âme :** l'idée selon laquelle l'âme humaine est éternelle, qu'elle n'a ni début ni fin.
2. **Inspirées :** pleines d'inspiration, de bonnes idées.
3. **Perdition :** perte, destruction totale.
4. **Il demeura ferme dans ses convictions :** il refusa de changer d'avis, il garda exactement les mêmes opinions.
5. **Ces démentis que le permanent infligeait au temporaire :** les éléments temporaires, passagers (les journaux qui racontent la réalité historique du moment), sont réfutés, niés par les éléments permanents, stables (les livres et les grandes idées qu'ils développent).

La vie à la lumière artificielle et le manque d'air frais ont
135 augmenté encore l'embonpoint[1] de Herr Karl, et ses joues,
avec le passage des années, ont perdu depuis longtemps leur
teint rose, mais son optimisme et sa confiance dans l'humanité sont demeurés intacts. Il tient bon dans sa cave, en attendant que la générosité et la justice triomphent sur la terre, et,
140 bien que les nouvelles que l'ami Schutz lui apporte du monde
extérieur soient fort mauvaises, il refuse de désespérer.

Quelques années après la chute du régime hitlérien, un ami
de Herr Karl, revenu d'émigration, vint frapper à la porte de
l'hôtel particulier[2] de la Schillerstrasse.
145 Un homme grand et grisonnant, un peu voûté, d'aspect studieux[3], vint lui ouvrir. Il tenait encore un ouvrage de Goethe
à la main. Non, Herr Loewy n'habitait plus ici. Non, on ne
savait pas ce qu'il était devenu. Il n'avait laissé aucune trace,
et toutes les enquêtes faites depuis la fin de la guerre n'avaient
150 donné aucun résultat. *Grüss Gott*[4] ! La porte se referma. Herr
Schutz rentra dans la maison et se dirigea vers la bibliothèque.
Sa femme avait déjà préparé le plateau. Maintenant que l'Allemagne connaissait à nouveau l'abondance[5], elle gâtait Herr
Karl et lui cuisinait les mets les plus délicieux. Le tapis fut
155 roulé et le carreau retiré du plancher. Herr Schutz posa le
volume[6] de Goethe sur la table et descendit avec le plateau.

---

1. **Embonpoint :** rondeurs, surpoids.
2. **Hôtel particulier :** immeuble de ville appartenant à un riche propriétaire. Contrairement à un hôtel, qui loue des chambres, un hôtel particulier est un lieu d'habitation, qui n'accueille qu'une seule famille.
3. **D'aspect studieux :** avec l'air de quelqu'un qui aime étudier.
4. *Grüss Gott :* forme de salutation soutenue en allemand.
5. **L'abondance :** disponibilité des denrées alimentaires et en grandes
   quantités.
6. **Volume :** texte, ouvrage.

Herr Karl est bien affaibli, maintenant, et il souffre d'une phlébite[1]. De plus, son cœur commence à flancher[2]. Il faudrait un médecin, mais il ne peut pas exposer les Schutz à ce
160 risque ; ils seraient perdus si on savait qu'ils cachent un Juif humaniste dans leur cave depuis des années. Il faut patienter, se garder du doute ; la justice, la raison et la générosité naturelle reprendront bientôt le dessus. Il ne faut surtout pas se décourager. M. Karl, bien que très diminué[3], conserve tout
165 son optimisme, et sa foi humaine[4] est entière. Chaque jour, lorsque Herr Schutz descend dans la cave avec les mauvaises nouvelles — l'occupation de l'Angleterre par Hitler fut un choc particulièrement dur — c'est Herr Karl qui l'encourage et le déride[5] par quelque bon mot. Il lui montre les livres sur les
170 murs et il lui rappelle que l'humain finit toujours par triompher et que c'est ainsi que les plus grands chefs-d'œuvre ont pu naître, dans cette confiance et dans cette foi. Herr Schutz ressort toujours de la cave fortement rasséréné[6].

La fabrique de jouets marche admirablement ; en 1950,
175 Herr Schutz a pu l'agrandir et doubler le chiffre des ventes ; il s'occupe avec compétence[7] de l'affaire.

Chaque matin, Frau Schutz descend un bouquet de fleurs fraîches qu'elle place au chevet de Herr Karl. Elle lui arrange ses oreillers, l'aide à changer de position et le nourrit à la
180 cuiller, car il n'a plus la force de s'alimenter lui-même. Il peut à peine parler, à présent ; mais parfois ses yeux s'emplissent de larmes, son regard reconnaissant se pose sur les visages

---

1. **Phlébite :** maladie qui se forme dans un membre lorsqu'un caillot de sang vient boucher une veine, empêchant le sang de circuler. Elle apparaît souvent dans les jambes, pendant une longue immobilisation.
2. **Flancher :** montrer des signes de faiblesse, arrêter de fonctionner.
3. **Diminué :** diminué physiquement, très affaibli.
4. **Sa foi humaine :** sa foi en l'humanité, sa confiance en l'homme.
5. **Déride :** rend moins triste, fait sourire.
6. **Rasséréné :** plus calme, serein.
7. **Avec compétence :** bien, avec succès.

des braves gens qui ont su si bien soutenir[1] la confiance qu'il avait placée en eux et dans l'humanité en général ; on sent qu'il mourra heureux, en tenant dans chacune de ses mains la main de ses fidèles amis, et avec la satisfaction d'avoir vu juste.

185

---

1. **Soutenir :** maintenir, rendre plus fort.

Le faux

— Votre Van Gogh est un faux.

S... était assis derrière son bureau, sous sa dernière acquisition[1] : un Rembrandt[2] qu'il venait d'enlever de haute lutte[3]
à la vente de New York, où les plus grands musées du monde
avaient fini par se reconnaître battus. Effondré dans un fauteuil, Baretta, avec sa cravate grise, sa perle noire[4], ses cheveux tout blancs, l'élégance discrète de son complet[5] de coupe
stricte et son monocle[6] luttant en vain contre sa corpulence
et la mobilité méditerranéenne des traits empâtés[7], prit sa
pochette[8] et s'épongea le front.

— Vous êtes le seul à le proclamer partout. Il y a eu quelques
doutes, à un moment... Je ne le nie pas. J'ai pris un risque. Mais
aujourd'hui, l'affaire est tranchée : le portrait est authentique.

---

1. **Acquisition :** achat.
2. **Un Rembrandt :** un tableau du peintre hollandais Rembrandt (1606-
1669).
3. **Qu'il venait d'enlever de haute lutte :** dont il venait d'emporter l'en-
chère, après une longue lutte avec ses concurrents qui voulaient également acheter le tableau.
4. **Sa perle noire :** la perle est montée sur une épingle de cravate, destinée
à décorer la cravate.
5. **Complet :** costume pour homme, composé d'une veste, d'un pantalon
et d'un gilet.
6. **Monocle :** verre rond qui se porte sur l'œil et sert, comme les lunettes, à
corriger la vue.
7. **La mobilité méditerranéenne des traits empâtés :** les lignes de son
visage se sont épaissies ; elles bougent d'une manière propre aux habitants de la région méditerranéenne.
8. **Pochette :** mouchoir décoratif qu'on laisse dépasser de la poche supérieure de la veste.

La manière[1] est incontestable, reconnaissable dans chaque
15 touche de pinceau...

S... jouait avec un coupe-papier en ivoire, d'un air ennuyé.

— Eh bien, où est le problème, alors ? Estimez-vous heureux de posséder ce chef-d'œuvre.

— Tout ce que je vous demande, c'est de ne pas vous pro-
20 noncer. Ne jetez pas votre poids dans la balance[2].

S... sourit légèrement.

— J'étais représenté aux enchères... Je me suis abstenu.

— Les marchands vous suivent comme des moutons. Ils craignent de vous irriter. Et puis, soyons francs : vous contrô-
25 lez les plus grands financièrement...

— On exagère, dit S... J'ai pris simplement quelques précautions pour m'assurer une certaine priorité dans les ventes...

Le regard de Baretta était presque suppliant.

— Je ne vois pas ce qui vous a dressé contre moi dans
30 cette affaire.

— Mon cher ami, soyons sérieux. Parce que je n'ai pas acheté ce Van Gogh[3], l'avis des experts mettant en doute son authenticité a évidemment pris quelque relief[4]. Mais si je l'avais acheté, il vous aurait échappé. Alors ? Que voulez-
35 vous que je fasse, exactement ?

— Vous avez mobilisé contre ce tableau tous les avis autorisés[5], dit Baretta. Je suis au courant : vous mettez à démontrer qu'il s'agit d'un faux toute l'influence que vous possédez. Et votre influence est grande, très grande. Il vous suffirait de
40 dire un mot...

---

1. **La manière :** le style, la façon de peindre de l'artiste.
2. **Ne jetez pas votre poids dans la balance :** n'influencez pas la discussion, ne donnez pas votre avis, qui pourrait faire basculer le débat.
3. **Ce Van Gogh :** ce tableau du peintre hollandais Vincent Van Gogh (1853-1890).
4. **A pris quelque relief :** a gagné plus de poids, s'est mis à compter plus.
5. **Avis autorisés :** l'avis de personnes qui ont de l'influence, dont l'opinion est reconnue et compte.

S... jeta le coupe-papier en ivoire sur la table et se leva.

— Je regrette, mon cher. Je regrette infiniment. Il s'agit d'une question de principe que vous devriez être le premier à comprendre. Je ne me rendrai pas complice d'une supercherie[1], même par abstention[2]. Vous avez une très belle collection et vous devriez reconnaître tout simplement que vous vous êtes trompé. Je ne transige[3] pas sur les questions d'authenticité. Dans un monde où le truquage et les fausses valeurs triomphent partout, la seule certitude qui nous reste est celle des chefs-d'œuvre. Nous devons défendre notre société contre les faussaires de toute espèce. Pour moi, les œuvres d'art sont sacrées, l'authenticité pour moi est une religion... Votre Van Gogh est un faux. Ce génie tragique a été suffisamment trahi de son vivant — nous pouvons, nous devons le protéger au moins contre les trahisons posthumes[4].

— C'est votre dernier mot ?

— Je m'étonne qu'un homme de votre honorabilité puisse me demander de me rendre complice d'une telle opération...

— Je l'ai payé trois cent mille dollars, dit Baretta.

S... eut un geste dédaigneux.

— Je sais, je sais... Vous avez fait délibérément monter le prix des enchères : car enfin, si vous l'aviez eu pour une bouchée de pain... C'est vraiment cousu de fil blanc[5].

— En tout cas, depuis que vous avez eu quelques paroles malheureuses, les mines embarrassées que les gens prennent en regardant mon tableau... Vous devriez quand même comprendre...

---

1. **Supercherie :** tromperie, mystification.
2. **Par abstention :** en ne se prononçant pas, en choisissant de ne pas donner son avis.
3. **Transige :** de « transiger », accepter de faire des concessions, de renoncer à être exigeant.
4. **Posthumes :** faites après la mort.
5. **Cousu de fil blanc :** trop visible, prévisible.

— Je comprends, dit S..., mais je n'approuve pas. Brûlez la toile, voilà un geste qui rehausserait non seulement le
70 prestige de votre collection, mais encore votre réputation d'homme d'honneur. Et, encore une fois, il ne s'agit pas de vous : il s'agit de Van Gogh.

Le visage de Baretta se durcit. S... y reconnut une expression qui lui était familière : celle qui ne manquait jamais de
75 venir sur le visage de ses rivaux en affaires lorsqu'il les écartait du marché. À la bonne heure, pensa-t-il ironiquement, c'est ainsi que l'on se fait des amis... Mais l'affaire mettait en jeu une des rares choses qui lui tenaient vraiment à cœur et touchait à un de ses besoins les plus profonds : le besoin d'au-
80 thenticité. Il ne s'attardait jamais à s'interroger, et il ne s'était jamais demandé d'où lui venait cette étrange nostalgie[1]. Peut-être d'une absence totale d'illusions : il savait qu'il ne pouvait avoir confiance en personne, qu'il devait tout à son extraordinaire réussite financière, à la puissance acquise, à l'argent,
85 et qu'il vivait entouré d'une hypocrisie feutrée[2] et confortable qui éloignait les rumeurs du monde, mais qui n'absorbait pas entièrement tous les échos insidieux[3]. « La plus belle collection privée de Greco[4], cela ne lui suffit pas... Il faut encore qu'il aille disputer le Rembrandt aux musées américains. Pas
90 mal, pour un petit va-nu-pieds[5] de Smyrne[6] qui volait aux étalages et vendait des cartes postales obscènes dans le port... Il est bourré de complexes, malgré les airs assurés qu'il se donne : toute cette poursuite des chefs-d'œuvre n'est qu'un effort pour oublier ses origines. » Peut-être avait-on raison. Il

---

1. **Nostalgie :** regret d'un élément du passé.
2. **Feutrée :** assourdie, estompée.
3. **Insidieux :** qui cherchent à faire tomber dans un piège.
4. **Collection privée de Greco :** collection personnelle de tableaux du peintre surnommé le Greco (1541-1614).
5. **Va-nu-pieds :** quelqu'un qui, trop pauvre pour posséder des chaussures, marche pieds nus.
6. **Smyrne :** ville de Turquie, aujourd'hui appelée Izmir.

95 y avait si longtemps qu'il s'était un peu perdu de vue — il ne savait même plus lui-même s'il pensait en anglais, en turc, ou en arménien — qu'un objet d'art immuable[1] dans son identité lui inspirait cette piété[2] que seules peuvent éveiller dans les âmes inquiètes les certitudes absolues. Deux châteaux en

100 France, les plus somptueuses demeures à New York, à Londres, un goût impeccable, les plus flatteuses décorations, un passeport britannique — et cependant il suffisait de cette trace d'accent chantant qu'il conservait dans les sept langues qu'il parlait couramment et d'un type physique qu'il est convenu

105 d'appeler « levantin[3] », mais que l'on retrouve pourtant aussi sur les figures sculptées des plus hautes époques de l'art, de Sumer[4] à l'Égypte et de l'Assur[5] à l'Iran, pour qu'on le soupçonnât hanté par un obscur sentiment d'infériorité sociale — on n'osait plus dire « raciale » — et, parce que sa flotte

110 marchande[6] était aussi puissante que celle des Grecs et que dans ses salons les Titien et les Vélasquez voisinaient avec le seul Vermeer[7] authentique découvert depuis les faux de Van Maageren[8], on murmurait que, bientôt, il serait impossible

---

1. **Immuable :** qui ne change pas, reste toujours identique.
2. **Piété :** grand attachement, respect.
3. **Levantin :** qui caractérise les habitants du Levant, c'est-à-dire de l'Égypte et du Proche-Orient.
4. **Sumer :** ancienne civilisation établie, à la fin de la préhistoire, en Mésopotamie (région du Moyen-Orient, la Mésopotamie correspond aujourd'hui à peu près à l'Irak).
5. **Assur :** ancienne ville de Mésopotamie.
6. **Sa flotte marchande :** l'ensemble de ses bateaux qui transportent des marchandises.
7. **Titien, Vélasquez, Vermeer :** Titien (1490-1576) est un peintre italien ; Vélasquez (1599-1660) est un peintre espagnol ; Vermeer (1632-1675) est un peintre hollandais.
8. **Van Maageren :** Hans Van Maageren, célèbre faussaire hollandais (1889-1947) qui peignait des tableaux de maîtres et les faisait passer pour authentiques.

d'accrocher chez soi une toile de maître sans faire figure de
115 parvenu[1]. S... n'ignorait rien de ces flèches d'ailleurs fatiguées
qui sifflaient derrière son dos et qu'il acceptait comme des
égards qui lui étaient dus : il recevait trop bien pour que le
Tout-Paris[2] lui refusât ses informateurs. Ceux-là même qui
recherchaient avec le plus d'empressement sa compagnie,
120 afin de passer à bon compte des vacances agréables à bord de
son yacht ou dans sa propriété du cap d'Antibes, étaient les
premiers à se gausser[3] du luxe ostentatoire[4] dont ils étaient
aussi naturellement les premiers à profiter, et lorsqu'un res-
tant de pudeur ou simplement l'habileté les empêchaient de
125 pratiquer trop ouvertement ces exercices de rétablissement
psychologiques, ils savaient laisser percer juste ce qu'il fallait d'ironie dans leurs propos pour reprendre leurs distances,
entre deux invitations à dîner. Car S... continuait à les invi-
ter : il n'était dupe ni de leurs flagorneries[5] ni de sa propre
130 vanité un peu trouble qui trouvait son compte à les voir graviter autour de lui[6]. Il les appelait « mes faux », et lorsqu'ils
étaient assis à sa table ou qu'il les voyait, par la fenêtre de
sa villa, faire du ski nautique derrière les vedettes[7] rapides
qu'il mettait à leur disposition, il souriait un peu et levait les
135 yeux avec gratitude vers quelque pièce rare de sa collection
dont rien ne pouvait atteindre ni mettre en doute la rassu-
rante authenticité.

Il n'avait mis dans sa campagne contre le Van Gogh de
Baretta nulle animosité personnelle : parti d'une petite épi-

---

1. **Parvenu :** devenu riche sans être né dans la richesse, le parvenu a changé
de condition sociale mais ses origines modestes restent apparentes.
2. **Le Tout-Paris :** personnalités célèbres et en vue de la capitale, au centre
de la vie mondaine.
3. **Se gausser :** se moquer, tourner en ridicule.
4. **Luxe ostentatoire :** luxe affiché, voyant, tapageur.
5. **Flagorneries :** flatteries intéressées.
6. **Graviter autour de lui :** tourner autour de lui, vivre dans son entourage.
7. **Vedettes :** petits bateaux à moteur.

140 cerie de Naples pour se trouver aujourd'hui à la tête du plus grand trust[1] d'alimentation d'Italie, l'homme lui était plutôt sympathique. Il comprenait ce besoin de couvrir la trace des gorgonzolas et des salamis[2] sur ses murs par des toiles de maîtres, seuls blasons[3] dont l'argent peut encore chercher
145 à se parer. Mais le Van Gogh était un faux. Baretta le savait parfaitement. Et puisqu'il s'obstinait à vouloir prouver son authenticité en achetant des experts ou leur silence, il s'engageait sur le terrain de la puissance pure et méritait ainsi une leçon de la part de ceux qui montaient encore bonne garde
150 autour de la règle du jeu.

— J'ai sur mon bureau l'expertise de Falkenheimer, dit S... Je ne savais trop quoi en faire, mais après vous avoir écouté... Je la communique dès aujourd'hui aux journaux. Il ne suffit pas, cher ami, de pouvoir s'acheter de beaux tableaux : nous
155 avons tous de l'argent. Encore faut-il témoigner aux œuvres authentiques quelque simple respect, à défaut de véritable piété... Ce sont après tout des objets de culte[4].

Baretta se dressa lentement hors de son fauteuil. Il baissait le front et serrait les poings. S... observa l'expression
160 implacable, meurtrière, de sa physionomie avec plaisir : elle le rajeunissait. Elle lui rappelait l'époque où il fallait arracher de haute lutte chaque affaire à un concurrent — une époque où il avait encore des concurrents.

— Je vous revaudrai ça, gronda l'Italien. Vous pouvez comp-
165 ter sur moi. Nous avons parcouru à peu près le même chemin dans la vie. Vous verrez que l'on apprend dans les rues de Naples des coups aussi foireux[5] que dans celles de Smyrne.

---

1. **Trust :** grosse entreprise jouant un rôle important dans un secteur particulier.
2. **Des gorgonzolas et des salamis :** deux spécialités italiennes ; le gorgonzola est un fromage, le salami un saucisson sec.
3. **Blasons :** emblèmes des familles nobles.
4. **Objets de culte :** objets que l'on vénère, de manière religieuse.
5. **Foireux :** terme familier signifiant raté, voué à l'échec.

Il se rua hors du bureau. S... ne se sentait pas invulnérable,
mais il ne voyait guère quel coup un homme, fût-il richis-
170 sime, pouvait encore lui porter. Il alluma un cigare, cependant que ses pensées faisaient, avec cette rapidité à laquelle
il devait sa fortune, le tour de ses affaires, pour s'assurer que
tous les trous étaient bien bouchés et l'étanchéité[1] parfaite.
Depuis le règlement à l'amiable du conflit qui l'opposait au
175 fisc[2] américain et l'établissement à Panamá du siège de son
empire flottant, rien ni personne ne pouvait plus le mena-
cer. Et cependant, la conversation avec Baretta lui laissa un
léger malaise : toujours cette insécurité secrète qui l'habitait. Il laissa son cigare dans le cendrier, se leva et rejoignit
180 sa femme dans le salon bleu. Son inquiétude ne s'estompait
jamais entièrement, mais lorsqu'il prenait la main d'Alfiera
dans la sienne ou qu'il effleurait des lèvres sa chevelure, il
éprouvait un sentiment qu'à défaut de meilleure définition
il appelait « certitude » : le seul instant de confiance absolue
185 qu'il ne mit pas en doute au moment même où il le goûtait.

— Vous voilà enfin, dit-elle.

Il se pencha sur son front.

— J'étais retenu par un fâcheux... Eh bien, comment cela
s'est-il passé ?

190 — Ma mère nous a naturellement traînés dans les maisons
de couture, mais mon père s'est rebiffé[3]. Nous avons fini au
musée de la Marine. Très ennuyeux.

— Il faut savoir s'ennuyer un petit peu, dit-il. Sans quoi les
choses perdent de leur goût...

195 Les parents d'Alfiera étaient venus la voir d'Italie. Un séjour
de trois mois : S... avait, courtoisement mais fermement,
retenu un appartement au Ritz.

---

1. **Étanchéité :** fait d'être étanche, de ne laisser rien passer.
2. **Fisc :** administration qui s'occupe des impôts.
3. **Se rebiffer :** refuser en protestant.

Il avait rencontré sa jeune femme à Rome, deux ans aupa-
ravant, au cours d'un déjeuner à l'ambassade du Liban. Elle
200 venait d'arriver de leur domaine familial de Sicile[1] où elle
avait été élevée et qu'elle quittait pour la première fois, et
chaperonnée[2] par sa mère, avait en quelques semaines jeté
l'émoi[3] dans une société pourtant singulièrement blasée[4].
Elle avait alors à peine dix-huit ans et sa beauté était *rare*,
205 au sens propre du mot. On eût dit que la nature l'avait créée
pour affirmer sa souveraineté[5] et remettre à sa place tout ce
que la main de l'homme avait accompli. Sous une chevelure
noire qui paraissait prêter à la lumière son éclat plutôt que le
recevoir, le front, les yeux, les lèvres étaient dans leur harmo-
210 nie comme un défi de la vie à l'art, et le nez, dont la finesse
n'excluait cependant pas le caractère ni la fermeté, donnait au visage une touche de légèreté qui le sauvait de cette
froideur qui va presque toujours de pair avec la recherche
trop délibérée d'une perfection que seule la nature, dans ses
215 grands moments d'inspiration ou dans les mystérieux jeux du
hasard, parvient à atteindre, ou peut-être à éviter. Un chef-
d'œuvre : tel était l'avis unanime de ceux qui regardaient le
visage d'Alfiera.

Malgré tous les hommages, les compliments, les soupirs
220 et les élans qu'elle suscitait, la jeune fille était d'une modestie
et d'une timidité dont les bonnes sœurs du couvent où elle
avait été élevée étaient sans doute en partie responsables. Elle
paraissait toujours embarrassée et surprise par ce murmure
flatteur qui la suivait partout ; sous les regards fervents[6] que
225 même les hommes les plus discrets ne pouvaient empêcher

---

1. **Sicile :** île au sud de l'Italie.
2. **Chaperonnée par sa mère :** accompagnée par sa mère qui la protège et
la surveille, pour des raisons de convenance.
3. **Jeté l'émoi :** semé le trouble, bouleversé, ému.
4. **Blasée :** que rien n'étonne plus.
5. **Souveraineté :** puissance, domination.
6. **Fervents :** dévoués, passionnés.

de devenir un peu trop insistants, elle pâlissait, se détournait, pressait le pas, et son expression trahissait un manque d'assurance et même un désarroi[1] assez surprenants chez une enfant aussi choyée[2] ; il était difficile d'imaginer un être à la
230 fois plus adorable et moins conscient de sa beauté.

S... avait vingt-deux ans de plus qu'Alfiera, mais ni la mère de la jeune fille, ni son père, un de ces ducs qui foisonnent[3] dans le sud de l'Italie et dont le blason désargenté n'évoque plus que quelques restes de *latifundia*[4] mangés par les chèvres,
235 ne trouvèrent rien d'anormal à cette différence d'âge ; au contraire, la timidité extrême de la jeune fille, son manque de confiance en elle-même dont aucun hommage, aucun regard éperdu d'admiration ne parvenait à la guérir, tout paraissait recommander l'union avec un homme expérimenté et fort ;
240 et la réputation de S... à cet égard n'était plus à faire. Alfiera elle-même acceptait la cour qu'il lui faisait avec un plaisir évident et même avec gratitude. Il n'y eut pas de fiançailles et le mariage fut célébré trois semaines après leur première rencontre. Personne ne s'attendait que S... se « rangeât » si
245 vite et que cet « aventurier », ainsi qu'on l'appelait, sans trop savoir pourquoi, ce « pirate » toujours suspendu aux fils téléphoniques qui le reliaient à toutes les Bourses[5] du monde, pût devenir en un tour de main un mari aussi empressé et dévoué, qui consacrait plus de temps à la compagnie de sa
250 jeune femme qu'à ses affaires ou à ses collections. S... était amoureux, sincèrement et profondément, mais ceux qui se targuaient[6] de bien le connaître et qui se disaient d'autant plus volontiers ses amis qu'ils le critiquaient davantage, ne manquaient pas d'insinuer que l'amour n'était peut-être pas la

---

1. **Désarroi** : profonde émotion, trouble.
2. **Choyée** : traitée avec beaucoup d'affection et de tendresse, cajolée.
3. **Foisonnent** : sont présents en grand nombre, sont abondants.
4. *Latifundia* : grand domaine agricole aux méthodes peu modernes.
5. **Bourses** : lieux où sont achetées et vendues les valeurs et actions.
6. **Se targuaient de** : se vantaient de.

255 seule explication de cet air de triomphe qu'il arborait depuis son mariage et qu'il y avait dans le cœur de cet amateur d'art une joie un peu moins pure : celle d'avoir enlevé aux autres un chef-d'œuvre plus parfait et plus précieux que tous ses Vélasquez et ses Greco. Le couple s'installa à Paris, dans l'an-
260 cien hôtel des ambassadeurs d'Espagne, au Marais[1]. Pendant six mois, S... négligea ses affaires, ses amis, ses tableaux ; ses bateaux continuaient à sillonner les océans et ses représentants aux quatre coins du monde ne manquaient pas de lui câbler[2] les rapports sur leurs trouvailles et les grandes ventes
265 qui se préparaient, mais il était évident que rien ne le touchait en dehors d'Alfiera ; son bonheur avait une qualité qui paraissait réduire le monde à l'état d'un satellite lointain et dépourvu d'intérêt.

— Vous semblez soucieux.

270 — Je le suis. Il n'est jamais agréable de frapper un homme qui ne vous a rien fait personnellement à son point le plus sensible : la vanité... C'est pourtant ce que je vais faire.

— Pourquoi donc ?

La voix de S... monta un peu et, comme toujours lorsqu'il
275 était irrité, la trace d'accent chantant devint plus perceptible.

— Une question de principe, ma chérie. On essaie d'établir, à coups de millions, une conspiration de silence[3] autour d'une œuvre de faussaire, et si nous n'y mettons pas bon ordre, bientôt personne ne se souciera plus de distinguer le
280 vrai du faux et les collections les plus admirables ne signifieront plus rien...

---

1. **Marais :** le Marais, un quartier de Paris.
2. **Câbler :** envoyer des messages à distance par le moyen d'un câble télégraphique.
3. **Conspiration de silence :** accord secret visant à taire quelque chose.

Il ne put s'empêcher de faire un geste emphatique[1] vers un paysage du Caire, de Bellini[2], au-dessus de la cheminée. La jeune femme parut troublée. Elle baissa les yeux et une expression de gêne, presque de tristesse, jeta une ombre sur son visage. Elle posa timidement la main sur le bras de son mari.

— Ne soyez pas trop dur...

— Il le faut bien, parfois.

Ce fut un mois environ après que le point final eut été mis à la dispute du « Van Gogh inconnu » par la publication dans la grande presse du rapport écrasant du groupe d'experts sous la direction de Falkenheimer que S... trouva dans son courrier une photo que nulle explication n'accompagnait. Il la regarda distraitement. C'était le visage d'une très jeune fille dont le trait le plus remarquable était un nez en bec d'oiseau de proie particulièrement déplaisant. Il jeta la photo dans la corbeille à papier et n'y pensa plus. Le lendemain, une nouvelle copie de la photo lui parvint, et, au cours de la semaine qui suivit, chaque fois que son secrétaire lui apportait le courrier, il trouvait le visage au bec hideux qui le regardait. Enfin, en ouvrant un matin l'enveloppe, il découvrit un billet tapé à la machine[3] qui accompagnait l'envoi. Le texte disait simplement : « Le chef-d'œuvre de votre collection est un faux. » S... haussa les épaules : il ne voyait pas en quoi cette photo grotesque[4] pouvait l'intéresser et ce qu'elle avait à voir avec sa collection. Il allait déjà la jeter lorsqu'un doute soudain l'effleura : les yeux, le dessin des lèvres, quelque chose dans l'ovale du visage venait de lui rappeler vaguement Alfiera. C'était ridicule : il n'y avait vraiment aucune ressemblance réelle, à peine un lointain air de parenté[5]. Il exa-

---

1. **Geste emphatique :** geste grandiloquent, grand geste exagéré.
2. **Un paysage du Caire, de Bellini :** un tableau du peintre italien Bellini (XVᵉ siècle) représentant la ville du Caire, en Égypte.
3. **La machine :** la machine à écrire.
4. **Grotesque :** ridicule, de mauvais goût.
5. **Un air de parenté :** un air de famille.

mina l'enveloppe : elle était datée[1] d'Italie. Il se rappela que
sa femme avait en Sicile d'innombrables cousines qu'il entre-
tenait[2] depuis des années. S... se proposa de lui en parler. Il
mit la photo dans sa poche et l'oublia. Ce fut seulement au
315 cours du dîner, ce soir-là — il avait convié ses beaux-parents
qui partaient le lendemain — que la vague ressemblance lui
revint à la mémoire. Il prit la photo et la tendit à sa femme.

— Regardez, ma chérie. J'ai trouvé cela dans le courrier
ce matin. Il est difficile d'imaginer un appendice nasal[3] plus
320 malencontreux[4]...

Le visage d'Alfiera devint d'une pâleur extrême. Ses lèvres
tremblèrent, des larmes emplirent ses yeux ; elle jeta vers son
père un regard implorant. Le duc, qui était aux prises avec
son poisson, faillit s'étouffer. Ses joues se gonflèrent et devin-
325 rent cramoisies[5]. Ses yeux sortaient des orbites, sa moustache
épaisse et noire, soigneusement teinte, qui eût été beaucoup
plus à sa place sur le visage de quelque carabinier[6] que sur
celui d'un authentique descendant du roi des Deux-Siciles,
dressa ses lances, prête à charger ; il émit quelques grogne-
330 ments furieux, porta sa serviette à ses lèvres, et parut si visi-
blement incommodé[7] que le maître d'hôtel se pencha vers
lui avec sollicitude[8]. La duchesse, qui venait d'émettre un

---

1. **Datée d'Italie :** le tampon figurant sur l'enveloppe indique la date d'envoi mais également le lieu d'envoi. Par raccourci, la lettre est donc datée
d'Italie.
2. **Entretenir :** donner à quelqu'un tout ce dont il a besoin pour vivre,
payer pour toutes ses dépenses.
3. **Appendice nasal :** nez.
4. **Malencontreux :** mal placé, malheureux, peu harmonieux.
5. **Cramoisies :** d'un rouge éclatant.
6. **Carabinier :** gendarme italien.
7. **Incommodé :** mal à l'aise, gêné.
8. **Avec sollicitude :** en s'inquiétant de lui.

jugement définitif sur la dernière performance de la Callas[1]
à l'Opéra, demeura la bouche ouverte et la fourchette levée ;
335 sous la masse de cheveux roux, son visage trop poudré se
décomposa et partit à la recherche de ses traits parmi les
bourrelets de graisse. S... s'aperçut brusquement avec un certain étonnement que le nez de sa belle-mère, sans être aussi
grotesque que celui de la photo, n'était pas sans avoir avec
340 ce dernier quelque ressemblance : il s'arrêtait plus tôt, mais
il allait incontestablement dans la même direction. Il le fixa
avec une attention involontaire, et ne put s'empêcher ensuite
de porter son regard avec quelque inquiétude vers le visage
de sa femme : mais non, il n'y avait vraiment dans ces traits
345 adorables aucune similitude avec ceux de sa mère, fort heureusement. Il posa son couteau et sa fourchette, se pencha,
prit la main d'Alfiera dans la sienne.

— Qu'y a-t-il, ma chérie ?

— J'ai failli m'étouffer, voilà ce qu'il y a, dit le duc, avec
350 emphase. On ne se méfie jamais assez avec le poisson. Je suis
désolé, mon enfant, de t'avoir causé cette émotion...

— Un homme de votre situation doit être au-dessus de
cela, dit la duchesse, apparemment hors de propos, et sans
que S... pût comprendre si elle parlait de l'arête ou reprenait
355 une conversation dont le fil lui avait peut-être échappé. Vous
êtes trop envié pour que tous ces potins sans aucun fonde-
ment... Il n'y a pas un mot de vrai là-dedans !

— Maman, je vous en prie, dit Alfiera d'une voix défaillante[2].

Le duc émit une série de grognements qu'un bulldog de
360 bonne race n'eût pas désavoués[3]. Le maître d'hôtel et les deux
domestiques allaient et venaient autour d'eux avec une indifférence qui dissimulait mal la plus vive curiosité. S... remar-

---

1. **La Callas :** surnommée « la Callas », Maria Callas (1923-1977) était une
   célèbre cantatrice.
2. **Défaillante :** qui ne fonctionne pas bien, sous le coup de l'émotion.
3. **Qu'un bulldog de bonne race n'eût pas désavoués :** qui ressemblaient
   aux grognements d'un bulldog.

qua que ni sa femme ni ses beaux-parents n'avaient regardé la photo. Au contraire, ils détournaient les yeux de cet objet posé sur la nappe avec une application soutenue. Alfiera demeurait figée ; elle avait jeté sa serviette et semblait prête à quitter la table ; elle fixait son mari de ses yeux agrandis avec une supplication muette ; lorsque celui-ci serra sa main dans la sienne, elle éclata en sanglots. S... fit signe aux domestiques de les laisser seuls. Il se leva, vint vers sa femme, se pencha sur elle.

— Ma chérie, je ne vois pas pourquoi cette photo ridicule...

Au mot « ridicule », Alfiera se raidit tout entière et S... fut épouvanté de découvrir sur ce visage d'une beauté si souveraine une expression de bête traquée. Lorsqu'il voulut la prendre dans ses bras, elle s'arracha soudain à son étreinte[1] et s'enfuit.

— Il est naturel qu'un homme de votre situation ait des ennemis, dit le duc. Moi-même...

— Vous êtes heureux tous les deux, c'est la seule chose qui compte, dit sa femme.

— Alfiera a toujours été terriblement impressionnable, dit le duc. Demain, il n'y paraîtra plus...

— Il faut l'excuser, elle est encore si jeune...

S... quitta la table et voulut rejoindre sa femme : il trouva la porte de la chambre fermée et entendit des sanglots. Chaque fois qu'il frappait à la porte, les sanglots redoublaient. Après avoir supplié en vain qu'elle vînt lui ouvrir, il se retira dans son cabinet. Il avait complètement oublié la photo et se demandait ce qui avait bien pu plonger Alfiera dans cet état. Il se sentait inquiet, vaguement appréhensif[2] et fort déconcerté[3]. Il devait être là depuis un quart d'heure lorsque le téléphone

---

1. **Étreinte :** fait de prendre quelqu'un dans ses bras, de le serrer contre soi.
2. **Appréhensif :** qui craint, qui redoute.
3. **Fort déconcerté :** très surpris, troublé, embarrassé.

sonna. Son secrétaire lui annonça que le signor[1] Baretta dési-
rait lui parler.

395 — Dites que je ne suis pas là.

— Il insiste. Il affirme que c'est important. Quelque chose
au sujet d'une photo.

— Passez-le-moi.

La voix de Baretta au bout du fil était pleine de bonhomie[2],
400 mais S... avait trop l'habitude de juger rapidement ses inter-
locuteurs pour ne pas y discerner une nuance de moquerie
presque haineuse.

— Que me voulez-vous ?

— Vous avez reçu la photo, mon bon ami ?

405 — Quelle photo ?

— Celle de votre femme, pardi ! J'ai eu toutes les peines
du monde à me la procurer. La famille a bien pris ses précautions. Ils n'ont jamais laissé photographier leur fille avant
l'opération. Celle que je vous ai envoyée a été prise au cou-
410 vent de Palerme[3] par les bonnes sœurs ; une photo collective,
je l'ai fait agrandir tout spécialement... Un simple échange de
bons procédés. Son nez a été entièrement refait par un chirur-
gien de Milan lorsqu'elle avait seize ans. Vous voyez qu'il n'y
a pas que mon Van Gogh qui est faux : le chef-d'œuvre de
415 votre collection l'est aussi. Vous en avez à présent la preuve
sous les yeux.

Il y eut un gros rire ; puis un déclic : Baretta avait raccroché.

S... demeura complètement immobile derrière son bureau.
Kurlik ! Le vieux mot de l'argot de Smyrne, terme insultant
420 que les marchands turcs et arméniens emploient pour désigner ceux qui se laissent gruger, tous ceux qui sont naïfs, crédules[4], confiants, et, comme tels, méritent d'être exploités sans

1. **Signor :** en italien, « monsieur ».
2. **Bonhomie :** simplicité, gentillesse, bonté, amabilité.
3. **Palerme :** plus grande ville de la région italienne de Sicile.
4. **Crédules :** prêts à croire n'importe quoi.

merci, retentit de tout son accent moqueur dans le silence de son cabinet. *Kurlik !* Il avait été berné par un couple de
425 Siciliens désargentés[1], et il ne s'était trouvé personne parmi tous ceux qui se disaient ses amis pour lui révéler la supercherie. Ils devaient bien rire derrière son dos, trop heureux de le voir tomber dans le panneau, de le voir en adoration devant l'œuvre d'un faussaire, lui qui avait la réputation d'avoir l'œil
430 si sûr, et qui ne transigeait jamais sur les questions d'authenticité... *Le chef-d'œuvre de votre collection est un faux...* En face de lui, une étude pour la *Crucifixion de Tolède* le nargua un instant de ses jaunes pâles et de ses verts profonds, puis se brouilla, disparut, le laissa seul dans un monde méprisant et
435 hostile qui ne l'avait jamais vraiment accepté et ne voyait en lui qu'un parvenu qui avait trop l'habitude d'être exploité pour qu'on eût à se gêner avec lui. Alfiera ! Le seul être humain en qui il eût eu entièrement confiance, le seul rapport humain auquel il se fût, dans sa vie, totalement fié[2]... Elle avait servi
440 de complice et d'instrument à des filous[3] aux abois[4], lui avait caché son visage véritable, et, au cours de deux ans de tendre intimité, n'avait jamais rompu la conspiration du silence, ne lui avait même pas accordé ne fût-ce que la grâce d'un aveu... Il tenta de se ressaisir, de s'élever au-dessus de ces mesquine-
445 ries[5] : il était temps d'oublier enfin ses blessures secrètes, de se débarrasser une fois pour toutes du petit cireur de bottes qui mendiait dans les rues, dormait sous les étalages, et que n'importe qui pouvait injurier et humilier... Il entendit un faible bruit et ouvrit les yeux : Alfiera se tenait à la porte.
450 Il se leva. Il avait appris les usages, les bonnes manières ; il connaissait les faiblesses de la nature humaine et était capable

---

1. **Désargentés :** pauvres, qui ont perdu leur argent.
2. **Se fier :** faire confiance.
3. **Filous :** escrocs, êtres malhonnêtes.
4. **Aux abois :** dans une situation désespérée.
5. **Mesquineries :** bassesses, étroitesses d'esprit.

de les pardonner. Il se leva et tenta de reprendre le masque d'indulgente[1] ironie qu'il savait si bien porter, de retrouver le personnage d'homme du monde tolérant qu'il savait être avec une telle aisance, mais lorsqu'il essaya de sourire, son visage tout entier se tordit ; il chercha à se réfugier dans l'impassibilité[2], mais ses lèvres tremblaient.

— Pourquoi ne m'avez-vous pas dit ?

— Mes parents...

Il entendit avec surprise sa voix aiguë, presque hystérique, crier quelque part, très loin :

— Vos parents sont de malhonnêtes gens...

Elle pleurait, une main sur la poignée de la porte, n'osant pas entrer, tournée vers lui avec une expression de bouleversante supplication. Il voulut aller vers elle, la prendre dans ses bras, lui dire... Il savait qu'il fallait faire preuve de générosité et de compréhension, que les blessures d'amour-propre ne devaient pas compter devant ces épaules secouées de sanglots, devant un tel chagrin. Et, certes, il eût tout pardonné à Alfiera, mais ce n'était pas Alfiera qui était devant lui : c'était une autre, une étrangère, qu'il ne connaissait même pas, que l'habileté d'un faussaire avait à tout jamais dérobée à ses regards. Sur ce visage adorable, une force impérieuse[3] le poussait à reconstituer le bec hideux d'oiseau de proie, aux narines béantes et avides[4] ; il fouillait les traits d'un œil aigu[5], cherchant le détail, la trace qui révélerait la supercherie, la marque qui trahirait la main du maquignon[6]... Quelque chose de dur, d'implacable bougea dans son cœur. Alfiera se cacha la figure dans les mains.

— Oh, je vous en prie, ne me regardez pas ainsi...

---

1. **Indulgente :** qui excuse et pardonne.
2. **Impassibilité :** absence de réaction, d'émotion.
3. **Impérieuse :** à laquelle il est impossible de ne pas répondre, de résister.
4. **Avides :** qui font preuve de cupidité, d'une grande avarice.
5. **D'un œil aigu :** avec un regard précis, attentif, pénétrant.
6. **Maquignon :** trafiquant, intermédiaire louche et malhonnête.

— Calmez-vous. Vous comprendrez cependant que dans ces conditions...

S... eut quelque mal à obtenir le divorce. Le motif qu'il avait d'abord invoqué et qui fit sensation dans les journaux : faux et usage de faux, scandalisa le tribunal et le fit débouter[1] au cours de la première instance[2], et ce fut seulement au prix d'un accord secret avec la famille d'Alfiera — le chiffre exact ne fut jamais connu — qu'il put assouvir son besoin d'authenticité. Il vit aujourd'hui assez retiré et se voue entièrement à sa collection, qui ne cesse de grandir. Il vient d'acquérir *la Madone bleue* de Raphaël[3], à la vente de Bâle[4].

---

1. **Débouter :** rejeter par un jugement.
2. **Instance :** étape d'une procédure judiciaire menée au tribunal.
3. **Raphaël :** peintre italien (1483-1520).
4. **La vente de Bâle :** la vente qui a eu lieu dans la ville suisse de Bâle.

Citoyen pigeon

En 1932, je visitai Moscou avec mon associé Rakussen. Nous venions de subir à la Bourse[1] de New York des pertes désastreuses[2] — toute une vie de dur labeur[3] réduite à néant en vingt-quatre heures — et les médecins nous avaient prescrit un changement complet d'atmosphère, quelques mois de vie simple et tranquille, loin de Wall Street[4] et de sa fièvre. Nous décidâmes de nous rendre en URSS[5]. Je tiens à préciser ici un point important : nous prenions cette décision avec cet enthousiasme sincère, cette chaude sympathie pour les réalisations de l'URSS que seuls les agents de change[6] ruinés intégralement au marché des valeurs[7] de Wall Street peuvent comprendre réellement. Au propre et au figuré nous avions besoin de valeurs nouvelles...

Nous étions au mois de janvier. Moscou portait son vêtement de neige. Nous venions de visiter le musée de la Révolution[8] et en sortant nous décidâmes de prendre un traîneau et de rentrer directement à l'Hôtel Métropole où nous avions nos quartiers[9]. Notre voyage en URSS s'effec-

---

1. **La Bourse :** lieu où sont achetées et vendues les valeurs et actions.
2. **Désastreuses :** catastrophiques.
3. **Dur labeur :** travail difficile.
4. **Wall Street :** quartier où se trouve la Bourse, à New York.
5. **URSS :** Union des républiques socialistes soviétiques ; nom du vaste État formé en 1922 après la révolution russe qui mit fin à l'Empire russe. L'URSS a duré jusqu'en 1991.
6. **Agents de change :** personnes qui, à la Bourse, s'occupent de convertir des monnaies.
7. **Au marché des valeurs :** à la Bourse.
8. **La Révolution :** la révolution russe de 1917. En février 1917, le régime tsariste prend fin. En octobre 1917, les bolcheviks, menés par Trotski et Lénine, prennent le pouvoir.
9. **Où nous avions nos quartiers :** où nous étions installés.

tuait sous les auspices[1] de l'Intourist[2] et depuis quinze jours le guide nous traînait impitoyablement de musée en musée et de théâtre en théâtre.

— Nous avons tout cela depuis longtemps aux États-Unis, dit Rakussen en descendant l'escalier.

Chaque fois que le guide nous faisait visiter un endroit, Rakussen se sentait obligé de dire : « Nous avons la même chose aux États-Unis », et il ajoutait généralement : « En mieux. » Il le dit au Kremlin[3], il le dit au musée de la Révolution, il le dit également au mausolée[4] de Lénine et le guide avait fini par nous regarder de travers : en toute sincérité, je crois que ces remarques vraiment déplacées de Rakussen ne furent pas entièrement étrangères à ce qui devait nous arriver. Il commençait à neiger et nous battions la semelle[5] en faisant de grands signaux à tous les traîneaux qui passaient. Finalement, un *izvoztchik*[6] s'arrêta et nous nous installâmes confortablement. Rakussen cria : « Hôtel Métropole », le traîneau glissa et ce fut alors seulement que je remarquai que le cocher n'était pas sur son siège.

— Rakussen, criai-je, le cocher est resté derrière !

Mais Rakussen ne me répondit pas. Son visage exprimait un ahurissement sans bornes[7]. Je suivis son regard et vis que la place du cocher était occupée par un pigeon. En soi, la chose n'avait rien d'extraordinaire, il y avait beaucoup de pigeons dans la rue qui picoraient le crottin ; ce qu'il y avait de réellement frappant, c'était l'attitude du pigeon. De toute

---

1. **Sous les auspices de :** avec l'appui de, sous la protection de.
2. **L'Intourist :** agence de voyages russe qui était, à l'époque, le seul moyen pour un touriste de visiter le pays.
3. **Le Kremlin :** vaste forteresse russe située à Moscou, siège du gouvernement russe.
4. **Mausolée :** grand monument funéraire.
5. **Nous battions la semelle :** nous tapions du pied pour nous réchauffer.
6. **Izvoztchik :** en russe, « cocher ».
7. **Ahurissement sans bornes :** étonnement, stupeur extrêmes.

45 évidence, il remplaçait le cocher. Il ne tenait pas les rênes, il est vrai, mais il y avait là, à côté de lui, une clochette fixée au siège, avec un bout de ficelle qui pendait. De temps en temps, le pigeon attrapait la ficelle avec son bec et tirait dessus : une fois, et le cheval tournait à gauche, deux fois, et il
50 tournait à droite.

— Il a bien dressé son cheval, remarquai-je d'une voix un peu rauque.

Rakussen me foudroya du regard, mais ne dit rien. Il n'y avait d'ailleurs rien à dire ; j'avais vu bien des choses incroyables
55 arriver au cours de mon existence, je venais de voir la Mars Oil universellement considérée comme une valeur de père de famille[1] tomber à zéro en vingt-quatre heures, mais un pigeon autorisé à assurer un transport public dans les rues d'une grande capitale européenne, c'était une expérience sans
60 précédent dans mon existence d'homme d'affaires américain.

— Eh bien, essayai-je de plaisanter, voilà enfin une chose que nous n'avons pas encore aux États-Unis !

Mais Rakussen n'était pas d'humeur à méditer sur les réalisations de la grande république soviétique dans le domaine
65 du transport. Ainsi qu'il en est souvent avec les esprits primaires, tout ce qu'il ne comprenait pas le mettait en colère.

— Je veux descendre ! hurla-t-il.

Je regardai le pigeon. Il était en train de sautiller sur son siège, en battant des ailes pour se réchauffer, à la manière de
70 tous les *izvoztchik* russes. Il n'avait pas du tout l'air impressionnant, pour un pionnier du socialisme. En fait, j'ai rarement vu un pigeon moins soigné de sa personne, pour parler franchement, plus sale et moins digne de promener deux touristes américains dans les rues d'une capitale.
75 — Je veux descendre, répéta Rakussen.

---

1. **Une valeur de père de famille :** une valeur considérée comme sûre et stable.

Le pigeon le regarda de travers, trotta jusqu'à la clochette et tira trois fois sur la ficelle. Le cheval s'arrêta. Je commençai à avoir ce tremblement nerveux du genou gauche qui est, chez moi, le signe d'une grande agitation intérieure. Je soulevai la couverture et me préparai à descendre, mais Rakussen, apparemment, avait brusquement changé d'avis.

— Je veux tirer cette affaire au clair, déclara-t-il en demeurant assis et en croisant les bras sur sa poitrine. Je refuse de me laisser mystifier[1]. S'ils croient qu'ils peuvent insulter ainsi un citoyen américain, ils se trompent !

Je ne voyais pas du tout pourquoi il se sentait insulté et je le lui dis. Nous étions en train d'échanger des propos amers[2] lorsque je remarquai qu'un attroupement s'était formé sur le trottoir et que les passants s'arrêtaient et nous observaient avec étonnement.

— Ils ne regardent même pas le pigeon, dit Rakussen avec abattement. C'est nous qu'ils regardent.

— Rakussen, vieil ami, dis-je, en lui mettant la main sur l'épaule, cessons de nous conduire en provinciaux ahuris[3] ! Après tout, nous sommes des étrangers dans ce pays. Ces gens doivent savoir mieux que nous ce qui est normal chez eux et ce qui ne l'est pas. Ce pays, ne l'oublions pas, a subi une grande révolution. On nous a toujours très mal renseignés sur l'URSS. Ils sont vraiment en train de bâtir un monde nouveau. Il est parfaitement possible qu'avec des méthodes nouvelles, ils aient accompli dans le domaine de l'éducation des pigeons des choses dont nous n'avons même pas rêvé dans nos vieux pays endormis dans une routine séculaire[4]. Mettons que ce pigeon soit un pionnier et n'en par-

---

1. **Mystifier :** tromper, duper.
2. **Amers :** blessants, durs.
3. **Ahuris :** hébétés, stupéfaits.
4. **Une routine séculaire :** habitudes qui n'ont pas changé depuis des siècles.

105 lons plus. Voyons grand, Rakussen, élevons-nous à la hauteur des circonstances ; de la tolérance, Rakussen, de la générosité. Pourquoi ne pas admettre que du point de vue de l'utilisation rationnelle[1] de la main-d'œuvre, il nous reste encore, aux États-Unis, tout à apprendre ?

110 — Utilisation rationnelle de la main-d'œuvre, mon œil, dit grossièrement Rakussen.

Mais je ne me laissai pas démonter.

— *Izvoztchik*, criai-je, avec mon meilleur accent russe, *izvoztchik*, en avant ! Fais sonner le *kolokoltchik*[2] ! *Ai da troïka*[3] !
115 *Volga*[4], *Volga* !

— Taisez-vous ! siffla Rakussen, ou je vous tords le cou !

Il se mit soudain à pleurer.

— Je suis humilié ! sanglotait-il sur ma poitrine. Oh ! comme je suis humilié ! Où est maman ? Je veux maman !

120 — Je suis là, Rakussen, vieil ami, criai-je. Vous pouvez compter entièrement sur moi !

Pendant tout ce temps-là les badauds[5] sur le trottoir nous regardaient avec une attention soutenue. Le pigeon fut le premier à se lasser du spectacle. Il tira brusquement sur la clo-
125 chette, le cheval démarra, et le traîneau glissa rapidement sur la neige. De temps en temps, le pigeon se retournait et nous lançait un sale regard[6]. Rakussen continuait à sangloter, et je commençais à éprouver cette étrange oppression[7] autour du crâne qui, chez moi, ne présage rien de bon. Le traîneau

---

1. **Utilisation rationnelle :** utilisation réfléchie et méthodique, conçue pour être particulièrement efficace.
2. *Kolokoltchik :* en russe, « clochette ».
3. **Troïka :** traîneau russe, tiré par trois chevaux.
4. **Volga :** grand fleuve qui traverse la Russie.
5. **Badauds :** promeneurs curieux qui s'arrêtent pour regarder ce qui se passe dans la rue.
6. **Un sale regard :** un regard mauvais.
7. **Oppression :** forte pression.

130 s'arrêta devant un bâtiment orné d'un drapeau soviétique[1].
Le pigeon sauta de son siège, trotta à l'intérieur et revint aussitôt, suivi d'un agent de police.

— Camarade[2], m'exclamai-je, nous nous mettons entièrement sous votre protection. Nous sommes deux paisibles
135 touristes américains et nous venons d'être traités d'une façon
particulièrement indigne[3]. Cet *izvoztchik*...

— Pourquoi ce sale pigeon nous a-t-il amenés au poste[4] ?
m'interrompit Rakussen.

Le policier haussa les épaules.

140 — Vous étiez dans son traîneau depuis une heure et vous
n'aviez pas l'air de savoir où vous vouliez aller, nous expli-
qua-t-il en excellent anglais. De plus, vos façons lui paraissaient étranges et il prétend même que vous le regardiez d'un
air menaçant. Vous lui avez fait peur, camarades. Cet *izvozt-*
145 *chik* n'est pas habitué aux touristes et à leurs façons bizarres.
Il faut l'excuser.

— Il vous a expliqué tout cela ? demanda Rakussen,
sombrement.

— Oui.

150 — Il parle donc russe ?

Le policier parut sincèrement choqué.

— Camarades touristes, dit-il, je puis vous assurer que 95 %
de notre population parlent et écrivent leur langue maternelle fort correctement.

155 — Y compris les pigeons ?

— Camarades touristes, dit le policier avec une certaine
emphase[5], je n'ai jamais été aux États-Unis, mais je puis vous

_____

1. **Soviétique** : de l'URSS.
2. **Camarade** : collègue, ami ; manière de se désigner au sein du parti
   communiste, pour souligner que tout le monde est mis sur le même plan.
3. **Indigne** : déshonorante, scandaleuse.
4. **Poste** : poste de police.
5. **Emphase** : exagération dans le ton ou les mots employés.

assurer que, chez nous, les bienfaits de l'éducation sont mis à la portée de tous, sans distinction de race.

160 — Aux États-Unis, hurla Rakussen, nous avons des pigeons qui sortent de Harvard[1] et j'en connais personnellement douze qui siègent au Sénat !

Il se rua dehors. Je le suivis. Le pigeon était toujours là avec son traîneau, attendant sans doute d'être payé. Je le regardai
165 et ce fut alors que j'eus cette idée fatale[2]. Il y avait là, juste à côté du poste, une succursale de l'« Universmag ». Je me précipitai à l'intérieur et ressortis triomphalement avec deux belles bouteilles de vodka.

— Rakussen, vieil ami, criai-je, en montrant le pigeon d'un
170 doigt accusateur, j'ai trouvé la clef du mystère. Cet oiseau n'existe pas ! C'est une hallucination[3], c'est le fruit maudit[4] d'une sobriété excessive[5], à laquelle nos médecins nous avaient condamnés ; nos organismes[6] intoxiqués sont incapables de supporter ce régime ! Buvons ! Et ce pigeon va se dissoudre
175 dans l'espace comme un mauvais rêve.

— Buvons ! hurla Rakussen avec enthousiasme.

Le pigeon nous tournait ostensiblement le dos.

— Aha ! criai-je. Il mollit. Il sait que ses instants sont comptés.
180 Nous bûmes. Au quart de bouteille le pigeon était toujours là.

---

1. **Harvard** : prestigieuse université américaine.
2. **Fatale** : funeste, qui aura des conséquences catastrophiques.
3. **Hallucination** : impression de voir ou de sentir des choses qui n'existent pas.
4. **Fruit maudit** : conséquence néfaste.
5. **Sobriété excessive** : on parle généralement d'ébriété excessive, le fait d'avoir beaucoup trop bu. La sobriété excessive serait donc l'inverse : le fait de ne pas avoir assez bu.
6. **Organismes** : corps.

— Persévérons[1], criai-je. Courage, Rakussen, on l'aura jusqu'à la dernière plume !

Au tiers de la bouteille, le pigeon se retourna et nous regarda 185 fixement. Je compris ce regard.

— Non-non ! bégayai-je. Pas de pitié !

À la demi-bouteille, le pigeon soupira et aux trois quarts, il dit en américain, avec un fort accent du Bronx[2] :

— Camarades touristes, vous voilà dans un pays étran- 190 ger, deux représentants de votre grand et beau pays, et au lieu de nous donner, par une attitude correcte et distinguée, une haute idée de votre patrie, vous vous saoulez la gueule[3] en pleine rue comme des animaux. Citoyens, je suis parfaitement écœuré !

195 ... J'écris ces lignes dans mon club[4]. Près de vingt ans sont passés depuis la terrible aventure qui fut pour nous le commencement d'une nouvelle vie. Rakussen est perché sur le lustre[5] à côté de moi et selon son habitude m'empêche de travailler. Nurse[6], nurse, voulez-vous dire à ce maudit oiseau de 200 laisser mes ailes tranquilles ? J'essaie d'écrire.

---

1. **Persévérons** : continuons, insistons.
2. **Bronx** : un quartier de la ville de New York.
3. **Vous vous saoulez la gueule** : vous buvez trop, vous vous enivrez.
4. **Club** : groupe fermé, généralement uniquement masculin, où les membres d'une certaine société se retrouvent pour parler, lire, se distraire.
5. **Lustre** : suspension décorative destinée à l'éclairage.
6. **Nurse** : en anglais, « infirmière ».

Tout va bien
sur le Kilimandjaro

Le petit village de Touchagues se trouve à dix kilomètres de Marseille sur la route d'Aix. Au milieu de la place principale il y a une statue de bronze. Elle représente un homme, la tête fièrement rejetée en arrière, une main sur la hanche,
5 l'autre sur un bâton, un pied posé en avant, à la manière des conquérants. On devine au premier regard que cet homme vient de franchir un désert réputé infranchissable[1] et s'apprête à se mesurer avec un pic[2] jamais surmonté. Sur la plaque on lit : « À Albert Mézigue, illustre[3] pionnier de la géographie,
10 conquérant des terres vierges (1860-18..), ses concitoyens[4] de Touchagues ».

Le village n'a pas de musée, mais une salle spéciale de la mairie est réservée aux reliques[5] de l'explorateur. On y trouve notamment plus de mille cartes postales envoyées de tous
15 les coins du monde par Albert Mézigue à ses concitoyens. Ce sont des cartes fort ordinaires d'aspect, imprimées au tournant du siècle[6] à Marseille par la maison Sulim Frères et consacrées aux « merveilles du monde », que l'ancien apprenti barbier[7] de Touchagues paraissait affectionner[8] particulière-

---

1. **Réputé infranchissable :** connu pour être impossible à franchir, à traverser.
2. **Pic :** sommet d'une montagne.
3. **Illustre :** célèbre.
4. **Concitoyens :** habitants d'un même pays ou d'une même ville.
5. **Reliques :** souvenirs précieux, objets du passé auxquels on est attaché.
6. **Au tournant du siècle :** au moment où le siècle a changé ; ici, entre la fin du XIXe siècle et le début du XXe siècle.
7. **Apprenti barbier :** le barbier est celui qui rase et taille la barbe ; l'apprenti travaille avec le barbier pour l'aider et apprendre son métier.
8. **Affectionner :** apprécier.

20 ment et qu'il emportait toujours avec lui dans ses voyages. Mais si les cartes sont banales et les timbres arrachés par les collectionneurs, les messages pleins de noms étrangers griffonnés[1] à la hâte dans les circonstances les plus extraordinaires conservent leur intérêt poignant[2] : « À César Birouette,

25 vins, fromages, place du Petit-Postillon, salut. Tout va bien sur le Kilimandjaro[3]. C'est plein de neiges éternelles[4] par ici. Avec l'expression de mes sentiments distingués. Albert Mézigue. » Ou bien encore : « À Joseph Tantignol, propriétaire, immeuble Tantignol, passage Tantignol. 80° latitude Nord[5].

30 Nous sommes pris dans une bourrasque[6] effroyable. Serons-nous épargnés ou bien le sort tragique de Larousse et de ses héroïques compagnons nous est-il réservé ? Veuillez agréer l'assurance de mon entier dévouement. Albert Mézigue. » Une de ces cartes est même adressée à l'ennemi mortel de

35 l'explorateur, le rival perfide[7] qui lui disputait le cœur d'une demoiselle[8] de Touchagues, Marius Pichardon, coiffeur, rue des Oliviers : « Sentiments polis du Congo. Ça grouille de boas constrictors par ici et je pense à toi. » Toutefois, il n'est que juste de remarquer que ce fut le même barbier Pichardon

40 qui devait persuader un jour les conseillers municipaux de Touchagues d'élever une statue à leur illustre concitoyen. Ce

---

1. **Griffonnés :** écrits rapidement, sans soin.
2. **Poignant :** émouvant, bouleversant.
3. **Kilimandjaro :** montagne la plus haute d'Afrique, au nord-est de la Tanzanie.
4. **Neiges éternelles :** neige qui, au sommet des hautes montagnes, ne fond jamais.
5. **80° latitude Nord :** la latitude permet de situer un lieu sur la Terre, par rapport à l'équateur. Elle est de 0° sur l'équateur et de 90° aux pôles, Nord ou Sud.
6. **Bourrasque :** vent qui souffle violemment.
7. **Perfide :** traître, hypocrite, déloyal.
8. **Lui disputait le cœur d'une demoiselle :** cherchait à séduire la même jeune fille que lui.

qui prouve une fois de plus que la vraie grandeur finit par s'imposer même aux âmes médiocres.

Mais la plupart des cartes portent l'adresse « Mademoiselle
45 Adeline Pisson, épicerie Pisson, passage des Mimosas ». Pour les touristes que les histoires d'amour — surtout lorsqu'elles sont un peu tristes — intéressent, la lecture de ces cartes constitue un véritable régal. « Adeline, je viens de graver ton nom sur le trône du dalaï-lama (sorte de dieu vivant des popu-
50 lations tibétaines[1] de confession bouddhiste[2]). Sentiments respectueux à la chère maman. J'espère que ses rhumatismes[3] vont mieux. Ton Albert. » Et sur une autre carte, datée de deux ans plus tard : « Bons baisers du lac Tchad (grand lac en voie d'extinction[4] au cœur de l'Afrique noire. Crocodiles.
55 Négresses à plateau[5]. Chasses à l'éléphant, à l'antilope[6], au phacochère[7]. Cultures principales : néant). Les indigènes d'ici recommandent fortement la graisse de manioc[8] contre les rhumatismes. Dis-le à ta chère maman. » Il n'oublie jamais les rhumatismes de maman jusque dans les circonstances
60 les plus dramatiques. « Nous sommes perdus dans le désert d'Arabie. J'écris ton nom sur le sable. J'aime le désert : il y a tant de place pour écrire ton nom. Nous avons très soif mais le moral est bon : le salut vient toujours au dernier moment,

---

1. **Populations tibétaines :** populations vivant au Tibet.
2. **De confession bouddhiste :** dont la religion est le bouddhisme, forme de religion et de philosophie suivant l'enseignement du Bouddha.
3. **Rhumatismes :** douleurs, principalement dans les articulations.
4. **En voie d'extinction :** sur le point de disparaître ; l'expression est généralement utilisée pour parler d'espèces animales ou végétales qui sont menacées de disparaître.
5. **Négresses à plateau :** femmes noires de certaines tribus africaines dont la lèvre inférieure est étirée autour d'un plateau rond.
6. **Antilope :** mammifère aux longues cornes vivant en Afrique et en Asie.
7. **Phacochère :** mammifère aux longues défenses proche du sanglier, vivant en Afrique.
8. **Manioc :** plante tropicale dont les racines sont comestibles.

tous les voyageurs sont d'accord là-dessus. J'espère que ta
65 chère maman ne souffre pas trop de l'humidité. » Une autre
carte dit : « Dans la jungle de l'Amazone[1] les moustiques
bourdonnent. Je viens de donner ton nom à une rivière et
à un papillon. Pichardon doit sûrement essayer de me voler
ma clientèle[2]. » Et encore : « En mer. Adeline, tu m'as promis
70 d'être à moi pour la vie quand je serai célèbre. Du haut de
ces vagues déchaînées[3] je te dis : à bientôt ! » Mais toutes ces
cartes ont été depuis longtemps réunies en volume et publiées
sous le titre *Les Voyages et aventures d'Albert Mézigue* ; elles
comptent, et à juste titre, parmi les joyaux[4] de la littérature
75 provençale[5].

Ce qui est toutefois moins connu, c'est la vie véritable et
la fin étrange de l'illustre citoyen[6] de Touchagues. On savait
bien qu'il avait quitté à vingt ans son village natal par amour
d'une jeune fille du pays qui rêvait d'épouser un grand explo-
80 rateur. Mais personne ne semble l'avoir jamais rencontré
nulle part. Son nom ne figure sur la liste des membres d'aucune société de géographie. Les journaux de l'époque ne le
mentionnent pas. Il ne retourna jamais dans son village où
sa statue l'attendit en vain. Les matelots de Marseille pré-
85 tendent, il est vrai, qu'un monsieur répondant à la description du « pionnier de la géographie » les interrogeait souvent
sur leurs voyages. Il leur offrait le pastis[7] et demandait, en
leur remettant une carte postale : « Pourriez-vous expédier

---

1. **L'Amazone :** le fleuve Amazone coule en Amérique du Sud, traversant
le Pérou, la Colombie et le Brésil.
2. **Clientèle :** l'ensemble des clients.
3. **Déchaînées :** fortes et violentes.
4. **Joyaux :** pierres précieuses d'une grande valeur.
5. **La littérature provençale :** la littérature de la Provence, région du sud
de la France.
6. **L'illustre citoyen :** le célèbre habitant.
7. **Pastis :** alcool au goût anisé.

cette carte de Mexico[1], s'il vous plaît ? » Mais ce n'est pas
90 avec des racontars[2] de matelots que l'on écrit l'histoire d'un
grand homme. Ses ennemis — tous les lions ont des poux —
aiment à se prévaloir[3] des termes assez mystérieux, en effet,
d'une carte adressée par Mézigue à Mlle Pisson sept ans après
son départ pour la grande aventure : « Ainsi, ils m'ont élevé
95 un monument. C'est cuit, je ne pourrai jamais plus revenir.
Adeline, j'ai réalisé ton rêve de gloire, mais à quel prix ? » Le
fait demeure cependant que jusqu'en 1913 personne ne put
dire ce qu'il était advenu de[4] celui que, par la suite, la qualité de sa prose descriptive avait fait surnommer « le barde[5]
100 provençal ». Les gens de Touchagues affirment qu'il trouva
la mort par manque d'oxygène lors d'une escalade du mont
Everest[6] et cette opinion est exprimée également par le professeur Cornu dans la préface à la première édition des *Voyages
et aventures*.

105 En 1913, toutefois, la publication des *Mémoires du Vieux
Marseille* par le commissaire Pujol vint jeter une lumière nouvelle sur le barde provençal et son cruel destin : Jeudi, 20 juin
1910, note le policier. Aujourd'hui est mort d'une crise car-
diaque Albert, le coiffeur du Vieux-Port qui m'a fait la barbe et
110 la moustache pendant près de vingt ans. J'ai trouvé le pauvre
diable[7] dans sa mansarde[8], dont les fenêtres donnent sur l'em-

---

1. **Mexico :** capitale du Mexique.
2. **Racontars :** ragots, commérages.
3. **Aiment à se prévaloir :** aiment mettre en avant pour s'en servir à leur
avantage.
4. **Ce qu'il était advenu de :** ce qu'était devenu.
5. **Barde :** poète.
6. **Mont Everest :** montagne de l'Himalaya, plus haute montagne du
monde.
7. **Pauvre diable :** pauvre homme, qui fait pitié.
8. **Mansarde :** petite pièce sous les toits.

barcadère[1]. Dans sa main il serrait une lettre dont le sens, je l'avoue, m'échappe entièrement. « Cher Monsieur Mézigue Albert, disait la lettre. Bien reçu votre dernière carte de Rio de Janeiro (Brésil) pour laquelle merci. Continuez s'il vous plaît, mais le nom est depuis vingt ans déjà Mme Adeline Pichardon, car j'ai été unie par les liens légaux[2] à M. Pichardon, Marius, le barbier bien connu, même que j'ai déjà été sept fois délivrée de ses œuvres[3]. En conséquence j'ai l'honneur de considérer votre demande en mariage du 2-6-1885, faite devant témoins, comme nulle et non avenue[4]. De ce j'ai voulu vous informer plus tôt poste restante[5], comme d'habitude, mais M. Pichardon dit non chaque fois parce que, premièrement, il aime beaucoup vos cartes et retire de leur lecture un grand amusement, et deuxièmement, il a maintenant une très jolie collection de timbres-poste, grâce à vos soins. J'ai le regret de vous informer toutefois qu'il lui manque le cinquante centimes rose de Madagascar, ce de quoi il se plaint tout le temps amèrement, rendant ma vie bien difficile. Je suis sûre que vous ne faites pas exprès pour l'enrager comme il le croit et que c'est un simple oubli de votre part. En conséquence, je vous prie de faire le nécessaire tout de suite. » Elle signait « À vous éternellement, Pichardon Adeline », réduisant ainsi l'éternité à ses justes proportions.

---

1. **Embarcadère :** jetée qui permet de monter à bord d'un bateau ou d'en descendre.
2. **Liens légaux :** le mariage.
3. **J'ai déjà été sept fois délivrée de ses œuvres :** j'ai déjà donné naissance à sept de ses enfants.
4. **Nulle et non avenue :** considérée comme n'ayant pas existé.
5. **Poste restante :** un courrier envoyé poste restante est gardé au bureau de poste jusqu'à ce que son destinataire vienne le récupérer.

Je parle de l'héroïsme

Lorsque, il y a quelques années, l'Institut français d'Haïti m'invita à faire une conférence littéraire sur un sujet à ma convenance[1], je n'hésitai pas un seul instant : je choisis l'héroïsme. C'est un sujet qui m'est familier : j'ai passé de longues heures dans ma bibliothèque à l'étudier. Le danger, le courage, l'esprit de sacrifice n'avaient pour ainsi dire plus de secrets pour moi et lorsque j'arrivai à Port-au-Prince[2], j'étais vraiment prêt à donner le meilleur de moi-même.

Le public de Port-au-Prince est un des plus fins et des plus cultivés qui soient et lorsque, sobrement vêtu, le ruban des palmes académiques[3] à la boutonnière, je montai sur l'estrade, je fis de mon mieux. Il y avait d'ailleurs beaucoup de jolies femmes dans l'assistance et je ne fus pas mécontent d'avoir fait justement une petite cure amaigrissante[4] au cours de laquelle j'avais réussi à perdre une vingtaine de kilos.

J'évoquai Saint-Exupéry, Malraux, Richard Hillary[5], et je réussis, assez habilement, ma foi, sans jamais parler de mes expériences personnelles comme passager des grandes lignes aériennes, à glisser quelques « nous » assez sugges-

---

1. **À ma convenance :** de mon choix, qui me convenait.
2. **Port-au-Prince :** capitale de l'île d'Haïti.
3. **Le ruban des palmes académiques :** décoration en forme de palmes attachées à un ruban remise à des enseignants ou des personnes non enseignantes ayant rendu de grands services à l'Éducation nationale.
4. **Une cure amaigrissante :** un régime, pour maigrir.
5. **Saint-Exupéry, Malraux, Richard Hillary :** Antoine de Saint-Exupéry (1900-1944), écrivain et aviateur français, André Malraux (1901-1976), écrivain et homme politique français, et Richard Hillary (1919-1943), lieutenant de la Royal Air Force (aviation militaire anglaise) et auteur d'un livre de souvenirs sur la bataille d'Angleterre, se sont tous trois illustrés pendant la Seconde Guerre mondiale.

20 tifs[1], bien que discrets. L'acoustique était excellente[2], l'éclairage me prenait de trois quarts comme il fallait, et, tout en expliquant d'une voix ferme comment la mort délibérément[3] affrontée pouvait donner tout son sens à la vie, je m'assurai que notre ambassade était bien représentée et essayai d'éva-
25 luer le nombre de jolies femmes dans le public.

Mais brusquement, je sentis un regard pesant sur mon visage. Cela venait du premier rang, où un monsieur se tenait assis, plus noir que le noir de la salle, et dont les yeux attentifs ne me quittaient pas un instant. Je fus assez irrité par
30 cette insistance, d'autant plus que je crus discerner quelque chose de goguenard[4] dans son expression. Je ne me laissai cependant pas troubler et terminai ma conférence en évoquant comment le héros moderne, confronté avec un péril mortel[5], redécouvre à cette heure suprême[6] toutes les valeurs
35 permanentes oubliées, et comment une telle expérience peut féconder une œuvre et une vie[7].

Quand je quittai l'estrade, le monsieur qui m'avait écouté avec une telle attention fut le premier à me féliciter.

— Docteur Bonbon, se présenta-t-il. Très belle conférence.
40 On sent chez vous une grande expérience personnelle du sujet.

---

1. **Suggestifs :** qui suggèrent, laissent supposer ; par ces « nous », le personnage laisse entendre qu'il partage les mérites des auteurs dont il parle.
2. **L'acoustique était excellente :** la salle permettait de bien entendre la voix du conférencier.
3. **Délibérément :** intentionnellement, par choix.
4. **Goguenard :** moqueur.
5. **Péril mortel :** danger menaçant sa vie.
6. **Suprême :** dernière, ultime.
7. **Féconder une œuvre et une vie :** les enrichir.

Je lui dis que je connaissais, en effet, personnellement Jules Roy[1] et que nous avions le même éditeur.

— À propos, dit-il, j'ai été chargé par quelques-uns de vos lecteurs de vous rendre le séjour en Haïti agréable. J'ai pensé que cela vous amuserait peut-être de chasser le requin au récif des Iroquois. Les émotions fortes ne sont sans doute pas pour vous déplaire...

L'idée, en effet, ne me déplaisait point[2]. Il est important pour un littérateur[3] d'avoir sa légende. Avoir chassé le requin aux Caraïbes pouvait avoir à cet égard un intérêt certain pour les biographes[4] futurs. J'acceptai donc volontiers la proposition faite avec tant de bonhomie[5] par l'aimable docteur. Je me vis attaché à mon siège, luttant avec la dernière énergie avec un poisson gigantesque pendu à mon hameçon... Je devais refaire ma conférence à Cap-Haïtien[6] le lendemain après-midi et nous décidâmes de partir à six heures du matin. À l'heure dite, nous nous retrouvâmes sur la vedette[7] du docteur et mîmes le cap[8] au large sur une eau qu'aucune crainte du cliché ne peut m'empêcher de qualifier d'émeraude. Le docteur fumait une courte pipe en me regardant placidement[9].

---

1. **Jules Roy** : écrivain français (1907-2000) ; militaire, il participa notamment à la libération de la France à la fin de la Seconde Guerre mondiale.
2. **Point :** pas.
3. **Littérateur :** écrivain de métier. Le terme est, généralement, employé de manière péjorative.
4. **Biographes :** qui écrivent le récit de la vie de quelqu'un.
5. **Avec tant de bonhomie :** de manière si simple et secourable, avec tellement de bonté.
6. **Cap-Haïtien :** autre ville haïtienne.
7. **Vedette :** petit bateau à moteur.
8. **Le cap :** pour un bateau, la direction.
9. **Placidement :** doucement, calmement.

— À propos, dit-il, vous feriez peut-être bien d'essayer votre Cousteau[1].

— Mon... quoi ?

— Vous devriez essayer votre appareil respiratoire, explique
65 le docteur. Vous descendrez sur le récif de corail[2] à près de cinq mètres du bord et les bouteilles d'oxygène vous donnent au moins vingt minutes d'autonomie[3]. Je vais vous expliquer le maniement du fusil sous-marin[4]. C'est très simple.

Il me regarda soudain attentivement.

70 — Qu'est-ce qu'il y a ? demanda-t-il avec douceur. Ça ne va pas ?

Je dus m'asseoir. Pendant quelques instants encore, j'essayai de lutter contre l'évidence. Mais les marins étaient en train de monter l'appareil et le docteur, le fusil à la main, me
75 donnait obligeamment[5] des explications techniques. Il n'y avait plus de doute possible. Il ne s'agissait pas de pêcher à l'hameçon. Ces gens-là avaient l'intention de me faire descendre dans cette mer des Caraïbes infestée de requins et de me laisser seul un fusil à la main au milieu de ces hideuses[6]
80 bêtes ! J'ouvris la bouche pour protester...

---

1. **Votre Cousteau :** surnom de l'appareil respiratoire des plongeurs, donné en référence à Jacques-Yves Cousteau (1910-1997), célèbre océanographe et cinéaste qui a contribué à l'évolution de celui-ci.
2. **Récif de corail :** ensemble de coraux qui forme, sous l'eau, comme un gros rocher.
3. **Vingt minutes d'autonomie :** temps pendant lequel l'appareil pourra fonctionner sans être rechargé en oxygène ; le plongeur pourra, grâce à ses bouteilles, avoir suffisamment d'oxygène pour respirer sous l'eau pendant vingt minutes.
4. **Fusil sous-marin :** arme permettant de chasser sous l'eau ; le fusil lance un harpon.
5. **Obligeamment :** gentiment, avec amabilité.
6. **Hideuses :** très laides, horribles à voir.

— Vous savez, dit le docteur avec une suavité[1] révoltante, je ne saurais vous dire combien nous avons tous goûté votre émouvante conférence. Tout Haïti va en parler, je m'en charge...

Nous nous regardâmes. Je ne dis rien et fis face. Il y a des
85 moments, dans la vie, où il faut savoir défendre son gagne-pain[2]. La seule chose que j'avais en ce bas monde, c'était ma réputation de conférencier[3], et, s'il fallait me faire dévorer par les requins pour la conserver, j'étais prêt. On essaya le masque[4] : il m'allait bien. Je regardai sombrement les flots
90 verts. Finir ainsi, bêtement, sans même avoir tiré à cent mille[5].

— Mettez maintenant la ceinture de plomb[6]. Elle vous permettra de descendre plus facilement...

Je lui trouvai soudain, malgré sa bonhomie apparente, un air diabolique. Je me laissai harnacher[7].
95 — Ces garçons vont descendre avec vous, ajouta-t-il, en me désignant les quatre superbes gaillards[8] noirs qui s'affairaient autour de moi.

« Ah ! pensai-je avec soulagement. Des gardes du corps. » Je me sentis mieux.
100 — Ce sont les rabatteurs, expliqua le docteur. Ils vont aller en avant sur vos ailes[9], pour chasser les requins vers vous. Vous n'aurez qu'à les tirer.

---

1. **Suavité :** trop grande douceur.
2. **Gagne-pain :** travail ou activité qui permet de gagner de quoi vivre.
3. **Conférencier :** celui qui fait une conférence, qui fait un exposé devant un public.
4. **Le masque :** le masque de plongée, qui permet de voir sous l'eau.
5. **Sans même avoir tiré à cent mille :** sans avoir tiré à cent mille exemplaires, sans qu'un de ses romans ait été publié à cent mille exemplaires – ce qui aurait été un signe de succès littéraire.
6. **Ceinture de plomb :** ceinture à laquelle sont attachés des plombs qui permettent au plongeur de descendre sous l'eau sans flotter à la surface.
7. **Harnacher :** équiper lourdement, vêtir d'un équipement encombrant.
8. **Gaillards :** hommes costauds, vigoureux.
9. **Sur vos ailes :** sur vos côtés.

Je n'eus même pas le courage de me révolter. D'ailleurs, tout m'était soudain devenu égal. On me mit d'énormes palmes
105 aux pieds, la ceinture, le masque, on me colla[1] le fusil entre les mains et on m'aida gentiment à passer par-dessus bord.

Je fis « Plouf ! »

Je passai ensuite les quelques premières minutes à tourner sur moi-même, comme une toupie, dans l'effort de me gar-
110 der de tous les côtés à la fois. J'atteignis, je crois, une vitesse de rotation[2] assez étonnante. Mais je m'épuisai rapidement et dus me laisser tomber sur le sable dans un brouillard vert où, pendant quelques instants, je ne vis rien. Puis j'aperçus à ma droite un récif de corail et je commençai à me diriger
115 en crabe[3] de ce côté-là, avec l'intention de me protéger au moins sur mes arrières. Au même instant, je vis un poisson long et mince émerger d'un trou dans le rocher et se figer à quelques centimètres de mon nez. Je poussai un hurlement, mais ce n'était pas un requin.
120 C'était un barracuda[4].

Je n'avais jamais vu de barracuda de ma vie, mais celui-là, je le reconnus tout de suite. Il y a des signes qui ne trompent pas, et je les avais tous. Je ne me souviens guère des secondes qui suivirent ; tout ce que je peux affirmer, c'est que, contrai-
125 rement à ce que j'avais dit dans ma conférence, au moment du péril mortel, le héros ne découvre pas du tout les valeurs permanentes de la vie. Ce n'est pas du tout ce qu'il fait, voilà tout ce que je puis dire. Lorsque j'ouvris les yeux, le barracuda était parti. J'étais seul.
130 Je fis un effort pour remonter à la surface, et j'allais y parvenir lorsque je vis une forme noire, de proportions[5] quasi-

---

1. **On me colla :** on me mit de force dans les mains, on me força à prendre.
2. **Rotation :** le fait de tourner, dans un mouvement circulaire.
3. **En crabe :** en avançant sur le côté, comme un crabe.
4. **Barracuda :** gros poisson carnivore des mers chaudes.
5. **De proportions :** de taille, de dimensions.

ment monstrueuses, qui fonçait dans ma direction, au-dessus de ma tête. Je poussai un glapissement[1], saisis mon fusil, fermai les yeux et pressai la détente.

135 Le fusil me fut arraché avec une telle force que mes bras faillirent le suivre.

En deux secondes, je fus à la surface, gesticulant[2] énergiquement. Fort heureusement, le bateau était tout près sur ma gauche et vira vers moi avec une lenteur exaspérante, pen-
140 dant que j'essayais de ramener mes jambes contre mon menton. Le bateau s'approcha et, avec une agilité étonnante chez un homme de mon âge, je fus presque aussitôt sur le pont.

— Et votre fusil ?

Je repris mon souffle. Puis j'expliquai au docteur ce qui
145 m'était arrivé. J'avais touché un requin, et celui-ci, en tirant sur le câble, m'avait arraché le fusil des mains. Les nageurs noirs rejoignaient, eux aussi, le bateau. L'un d'eux tenait mon fusil. Il donna en créole[3] quelques explications au docteur. Celui-ci me regarda gaiement.

150 — Apparemment, dit-il, votre harpon est venu se loger dans la coque[4] de la vedette.

Le cynique personnage était évidemment en train de suggérer que, dans mon affolement, j'avais pris le bateau qui passait au-dessus de ma tête pour un requin. « Oui, pensai-je,
155 eh bien, tu peux toujours essayer de le prouver. »

— J'ai clairement vu un requin passer entre ma tête et le bateau, déclarai-je. Je l'ai manqué. Ça arrive. J'espère faire mieux la prochaine fois.

---

1. **Glapissement :** cri aigu.
2. **Gesticulant :** faisant de grands gestes.
3. **Créole :** langue maternelle de certaines communautés des Antilles, née d'un mélange entre des langues européennes (français, anglais, espagnol, portugais, néerlandais…) et les langues locales.
4. **Est venu se loger dans la coque :** s'est planté, a pénétré dans la coque.

Le soir, à Cap-Haïtien, j'expliquai tranquillement au direc-
160 teur de notre Institut que, le matin même, j'avais chassé le
requin aux Iroquois.

— Aux Iroquois ? dit-il. Mais, de mémoire d'homme, il
n'y a jamais eu de requins aux Iroquois. Ils ne traversent pas
les récifs.

165 Lorsque je montai à la tribune, à ma surprise — nous étions
à une heure d'avion de Port-au-Prince — le docteur Bonbon
se tenait tranquillement au premier rang. Il avait dû prendre
l'avion tout exprès pour venir écouter encore une fois ma
conférence sur l'héroïsme. Nous nous regardâmes. Mais si ce
170 personnage diabolique croyait qu'il allait me troubler et me
démonter[1], il me connaissait mal. Il y a une qualité que personne ne peut me dénier[2], c'est le courage moral, et il pouvait
me regarder avec autant d'ironie que bon lui semblait[3], j'étais
résolu à m'élever une fois de plus à la hauteur de mon sujet.

175 — Mesdames, Messieurs, commençai-je, lorsque, dans sa
solitude, le héros moderne se trouve confronté avec un péril
mortel, la première chose qu'il découvre alors...

Le docteur Bonbon me regardait avec une certaine
admiration.

---

1. **Me démonter :** me troubler, me faire perdre mon assurance.
2. **Dénier :** nier, refuser de reconnaître.
3. **Que bon lui semblait :** qu'il voulait.

POUR
APPROFONDIR

Clefs de lecture

J'ai soif d'innocence

Action et personnages

1. Le narrateur considère-t-il Taratonga comme son égale ? Le regard qu'il porte sur elle change-t-il au cours de la nouvelle ?
2. Taratonga est-elle aussi innocente et naïve que le suppose le narrateur ? Que cherche-t-elle à faire ?
3. Comment comprenez-vous cette phrase : « Mais tous les préjugés de notre civilisation, que je tenais malgré tout bien ancrés en moi, m'empêchaient d'accepter un tel cadeau sans rien offrir en échange. » Pensez-vous que le personnage a d'autres préjugés ? Lesquels ?

Genre et thèmes

1. Avez-vous l'impression que le personnage est parfaitement honnête, qu'il donne ses véritables motivations ? Son récit peut-il être perçu comme ironique ? Appuyez votre réponse sur des citations issues du texte.
2. Relevez les passages où le personnage parle d'argent. Quels sont les termes qu'il emploie ? Comment son discours évolue-t-il ?
3. Comment comprendre le titre de la nouvelle ? De quoi le personnage veut-il s'éloigner, en partant pour la Polynésie, et que pense-t-il y découvrir ? Son vœu est-il exaucé ?

Écriture

1. Taratonga envoie une lettre au propriétaire de l'hôtel pour lui raconter sa rencontre avec le narrateur. Rédigez sa lettre.
2. En partant de la dernière affirmation du narrateur, inventez une suite au texte.
3. Préparez une présentation sur le peintre Gauguin : qui était-il, quel lien avait-il avec la Polynésie ? Trouvez un tableau de Gauguin qui ressemble aux descriptions données par le texte.

 ## À retenir

Un préjugé est un jugement sur quelqu'un ou quelque chose formé avant même de le connaître. Les préjugés sont souvent liés aux manières de penser d'un milieu, d'une époque, d'une forme d'éducation. Ils renvoient aux stéréotypes, une façon simplificatrice et figée de considérer une personne ou un groupe et de les représenter. Les préjugés y ajoutent un jugement de valeur, généralement négatif.

Clefs de lecture

Un humaniste

Action et personnages

1. Où et quand la nouvelle se déroule-t-elle ? À quels événements historiques renvoie-t-elle ? Quels en sont les indices dans le texte ?
2. Pourquoi Karl Loewy décide-t-il de se cacher ? Que craint-il ?
3. Quel est le projet de Karl Loewy ? Comment Herr Schutz l'exécute-t-il ?
4. Que se passe-t-il à la fin ? Les nouvelles apportées par Herr Schutz sont-elles conformes à la réalité ? Les deux époux sont-ils vraiment les « fidèles amis » de Karl Loewy ?

Langue

1. En quoi peut-on qualifier cette nouvelle d'ironique ? Illustrez votre réponse par des citations, en précisant comment elles doivent être interprétées.
2. Relevez les éléments qui caractérisent Karl Loewy. Quel portrait dessinent-ils du personnage ?
3. Comment comprenez-vous, dans le contexte de la nouvelle, l'expression : « Chassez le naturel, il revient au galop » ? En quoi rejoint-elle la vision que Karl Loewy a de l'humanité ?

Écriture

1. En utilisant les éléments donnés par le texte, imaginez une journée de Karl Loewy dans sa cave aménagée, en prenant soin de décrire, en même temps, sa cachette.
2. Réécrivez les grandes lignes de l'histoire en la centrant, cette fois, sur le personnage de Herr Schutz (ou de Frau Schutz).
3. Herr Schutz, à la fin du texte, apporte chaque jour des « mauvaises nouvelles » à Herr Loewy. Imaginez, à sa manière, à quoi aurait pu ressembler le monde si la guerre s'était achevée autrement.

 ## À retenir

Dans une nouvelle, le cadre spatio-temporel est généralement réduit. Il permet d'ancrer le récit dans une réalité géographique, historique ou sociale. Ses indices apparaissent sous diverses formes : noms propres, éléments géographiques, personnages ou événements historiques, dates, mots étrangers, objets significatifs, etc. Ils peuvent être inspirés de la réalité ou purement imaginaires.

Clefs de lecture

Le faux

Action et personnages

1. Pourquoi S... refuse-t-il, au début du texte, de céder aux demandes de Baretta ? Quel rôle S... accorde-t-il à l'art ?
2. En quoi consiste la vengeance de Baretta ? Pourquoi est-elle particulièrement subtile et efficace ?
3. Pourquoi S... demande-t-il un divorce pour « faux et usage de faux » ? Pourquoi la formule est-elle jugée « scandaleuse » ?

Langue

1. Relevez les termes placés en italique dans le texte. Que souligne l'italique, dans chacun des cas ? Joue-t-il toujours le même rôle ?
2. Relevez, dans le texte, plusieurs métaphores et expliquez-les.
3. Que signifie cette phrase : « Il comprenait ce besoin de couvrir la trace des gorgonzolas et des salamis sur ses murs par des toiles de maîtres, seuls blasons dont l'argent peut encore chercher à se parer. »

Écriture

1. Journaliste, vous devez écrire un article sur S... décrivant son ascension, depuis son enfance difficile jusqu'à sa vie fastueuse de grand collectionneur. Servez-vous des éléments mentionnés dans le texte, que vous pourrez compléter à votre manière.
2. Vous êtes, comme S..., confronté à un mensonge qui a de grandes conséquences sur votre vie. Racontez.
3. Retranscrivez le débat causé par la demande de divorce inhabituelle de S... : proposez les arguments que S... utilise pour justifier sa demande, et les arguments contraires, qui font que sa demande est rejetée.

 À retenir

La métaphore et la comparaison sont deux figures de style qui reposent sur l'analogie. La comparaison rassemble trois éléments : un comparant, un comparé et un outil de comparaison. Pour la métaphore, l'outil de comparaison disparaît. Le comparant ou le comparé peut également devenir implicite. « [Ils] vous suivent comme des moutons » est une comparaison ; « le visage au bec hideux » est une métaphore.

Pour approfondir

Clefs de lecture

Citoyen pigeon

Action et personnages

1. Où et quand la nouvelle se déroule-t-elle ? En quoi le lieu et l'époque jouent-ils un rôle important dans l'histoire ?
2. Que se passe-t-il à la fin ? Où le narrateur dit-il se trouver ? Où peut-on supposer qu'il se trouve réellement ?

Langue

1. Expliquez cette phrase : « Au propre et au figuré nous avions besoin de valeurs nouvelles... » Que désignent ici le « propre » et le « figuré » et quel(s) sens donner alors à ces « valeurs nouvelles » ?
2. Repérez les différents registres de langue employés dans les dialogues.

Genre ou thèmes

1. En quoi la nouvelle peut-elle être rattachée au genre fantastique ? À quel moment le récit bascule-t-il dans le fantastique ?
2. Rakussen et le narrateur sont deux touristes en pays étranger. Quels éléments soulignent leur différence ? Pourquoi le pigeon se dit-il « parfaitement écœuré » par leur attitude ?

Écriture

1. De retour aux États-Unis, Rakussen et le narrateur racontent leur voyage à un ami. Imaginez leur dialogue. Rakussen insistera sur les éléments négatifs du séjour et tous deux devront présenter à leur manière leur rencontre avec le pigeon.
2. L'office du tourisme de votre ville vous engage comme guide touristique. Présentez à des visiteurs les lieux incontournables de la ville, en trouvant les arguments pour les convaincre de les visiter.
3. En partant d'une situation réelle, écrivez un récit fantastique.

 ## À retenir

Un récit fantastique mélange réel et imaginaire. Les événements étranges qui surviennent dans un cadre réaliste poussent le lecteur à douter : l'histoire racontée s'explique-t-elle de manière rationnelle ou surnaturelle ? Le texte fantastique joue sur l'ambiguïté. La thématique fantastique est introduite progressivement, provoquant un effet de surprise lorsqu'elle bouleverse les règles du monde réel.

Pour approfondir

Clefs de lecture

Tout va bien sur le Kilimandjaro

Action et personnages

1. Pourquoi Albert Mézigue est-il appelé le « pionnier de la géographie » ?
2. Pourquoi semble-t-il « affectionner particulièrement » les cartes postales imprimées par la maison Sulim Frères ?
3. Que veut dire Albert Mézigue lorsqu'il écrit : « Ainsi, ils m'ont élevé un monument. C'est cuit, je ne pourrai jamais plus revenir. Adeline, j'ai réalisé ton rêve de gloire, mais à quel prix ? »
4. Comment comprendre la fin ?

Langue

1. Que signifie, dans le contexte de la nouvelle, l'expression « tous les lions ont des poux » ?
2. Albert Mézigue donne-t-il, dans ses cartes postales, beaucoup de détails sur les pays qu'il est censé visiter ? Pourquoi ? Quel genre d'information choisit-il surtout d'apporter ?
3. La carte postale envoyée du Tchad comporte des parenthèses. Quel rôle jouent-elles ? En quoi peuvent-elles être révélatrices du statut particulier des cartes écrites par le personnage ?

Écriture

1. En démêlant le vrai du faux, recomposez la chronologie de l'histoire d'Albert Mézigue. Vous vous appuierez sur les dates données par le texte.
2. Écrivez le discours qui aurait pu être prononcé le jour de l'inauguration de la statue. Les qualités supposées du « grand explorateur » et ses nombreux voyages devront notamment y être mis en avant.
3. En respectant le style d'Albert Mézigue, imaginez le texte d'autres cartes postales qu'il aurait pu envoyer, depuis différents pays.

 À retenir

La parenthèse ouvre une digression. Venant couper le développement logique de la phrase, elle peut permettre d'insérer des explications, de lancer des descriptions, de proposer des interprétations, de rectifier certains points un peu flous ou d'apporter des précisions sur les éléments évoqués, en les complétant par des détails supplémentaires.

Clefs de lecture

Je parle de l'héroïsme

Action et personnages

1. Qui raconte l'histoire ? Quelle conséquence ce choix narratif a-t-il sur le récit ?
2. Quels arguments le conférencier donne-t-il pour suggérer son héroïsme ? Peut-il être considéré comme un héros ?
3. Pourquoi le professeur Bonbon emmène-t-il le personnage chasser le requin ? Pourquoi choisit-il cet endroit précis pour la chasse ?

Langue

1. « [Nous] mîmes le cap au large sur une eau qu'aucune crainte du cliché ne peut m'empêcher de qualifier d'émeraude. » Quel est le sens du mot « cliché » ? Expliquez la phrase.
2. Relevez les termes qui caractérisent le professeur Bonbon. Sont-ils positifs ou négatifs ? Comment évoluent-ils au fil de la nouvelle ?
3. Pourquoi la dernière phrase prononcée par le conférencier s'achève-t-elle par des points de suspension ? Que remplacent-ils ?

Écriture

1. Imaginez un autre épisode qui ridiculiserait, de manière similaire, un personnage de votre choix.
2. Racontez en un paragraphe l'épisode de la chasse au requin selon le point de vue du conférencier, puis selon le point de vue du professeur Bonbon.
3. En utilisant les éléments que le personnage met en avant dans le texte, écrivez une notice biographique de quelques lignes le présentant.

 À retenir

Le narrateur doit être distingué de l'auteur, et du personnage. Le narrateur est la personne fictive qui raconte l'histoire, l'auteur est la personne réelle qui l'a écrite. Le narrateur peut être un personnage du texte mais il ne l'est pas forcément. Il peut s'exprimer, selon les cas, à la première personne ou à la troisième personne. Auteur, narrateur et personnage forment une seule personne uniquement dans les récits autobiographiques.

Pour approfondir

Genre, action, personnages
Genre et registres

La structure des nouvelles

Même si ce critère ne suffit pas à la définir, la nouvelle est un récit de taille généralement réduite. Cette brièveté peut être, selon les cas, interprétée de manière plus ou moins large. La nouvelle repose sur une unité de lieu et de temps, le cadre spatio-temporel est limité. L'action est simple, elle se caractérise par son efficacité et sa concision, et se construit autour d'un événement central à partir duquel se développe l'ensemble du récit. Les personnages sont peu nombreux. Chacun d'entre eux, qu'il soit principal ou secondaire, a un rôle précis à jouer.

Les nouvelles s'achèvent souvent de manière inattendue. La chute vient surprendre le lecteur en proposant un ultime rebondissement, un renversement de situation, voire une explication qui change le regard porté sur l'histoire et les personnages, ou ouvre sur de nouvelles interrogations : ce sera par exemple la révélation de l'identité de Taratonga dans « J'ai soif d'innocence », la découverte du destin réel d'Albert Mézigue et du mariage de la femme qu'il aimait dans « Tout va bien sur le Kilimandjaro », l'explication du stratagème du couple Schutz dans « Un humaniste ».

Le genre des nouvelles

Tous les genres peuvent être exploités dans la nouvelle : réaliste, fantastique, comique, policier, science-fiction... Le cadre des nouvelles est généralement réaliste, les faits y sont présentés comme vraisemblables. Elles s'appuient sur des dates et époques (le début du XXᵉ siècle dans « Tout va bien sur le Kilimandjaro », le krach boursier de 1930 et la Révolution russe dans « Citoyen pigeon », la Seconde Guerre mondiale dans « Un humaniste »), des lieux (l'Allemagne, Paris, Moscou, Marseille, Haïti, le Pacifique), des événements, des références (comme les grands noms de la peinture ou de la littérature dans « Un humaniste », « Le faux » ou « J'ai soif d'innocence »). Reconnaissables, ces éléments ancrent les histoires dans un contexte réaliste. La nouvelle fantastique ne fait pas exception : elle débute de manière réaliste puis bascule progressivement dans l'étrange. Dans « Citoyen pigeon », les éléments irréels apparaissent ainsi peu à peu, depuis le curieux cocher qui se présente aux deux touristes jusqu'au discours final du narrateur, qui prétend être un oiseau.

Humour et ironie

Ces nouvelles, comme la majeure partie de l'œuvre de Romain Gary, sont ironiques. Définie simplement, l'ironie est l'art de dire le contraire de ce que l'on pense. Elle pousse à réfléchir, à s'interroger et sert souvent à dénoncer. L'auteur d'un texte ironique ne dit pas tout et le sens se construit sur plusieurs niveaux. Le lecteur, devant un énoncé ironique, doit donc accomplir un travail de décryptage pour comprendre ce qui se cache derrière les mots et expressions. Il peut, pour cela, suivre les indices laissés par le narrateur : fausse logique, absurdité apparente, décalage, antiphrases… Le risque de l'ironie est toujours de passer inaperçue.

Les personnages sont souvent les cibles de l'ironie par leur comportement, par leurs discours, par les situations auxquelles ils se trouvent confrontés. Des nouvelles comme « J'ai soif d'innocence » ou « Je parle de l'héroïsme » reposent tout entières sur ce processus de retournement : les fiers discours des personnages soulignent en fait leurs défauts, et les circonstances se chargent de révéler ce que le lecteur attentif devinait. La soif d'innocence et l'héroïsme n'étaient que des apparences.

L'ironie peut également jouer sur des références, des citations d'autres œuvres. Elle s'associe alors au genre de la parodie. Un clin d'œil ironique de l'auteur envers lui-même peut être perçu dans « Je parle de l'héroïsme » : la narration à la première personne pourrait donner l'impression que l'auteur parle de lui lorsqu'il dresse ce portrait peu flatteur. Mais Gary n'est pas un faux héros aux exploits imaginaires. Il serait, au contraire, à sa place parmi les héros de guerre que cite le conférencier.

Pour approfondir

Genre, action, personnages
Action

La recherche d'un ailleurs

Déçus par le monde qu'ils connaissent, les personnages tentent de s'éloigner de la civilisation et recherchent des refuges protégés, des ailleurs prometteurs.

Certains préfèrent partir à l'étranger. Les deux Américains de « Citoyen pigeon », ruinés par la chute de la Bourse, veulent se changer les idées et choisissent l'URSS, un pays qui défend des valeurs opposées aux leurs. Le personnage de « J'ai soif d'innocence », en rejoignant la Polynésie, rêve de trouver un paradis sauvage préservé de toute civilisation. Pour Albert Mézigue, le voyage sera imaginaire ; l'ailleurs recherché est offert à une femme comme une preuve d'amour.

D'autres se tournent vers la culture, comme le personnage du « Faux », qui voit dans l'art la seule valeur en laquelle croire, la seule certitude. Karl Loewy, lui, se coupe littéralement du monde en disparaissant dans une cave où il n'est plus entouré que de livres. Se séparant peu à peu de ce qui le rattachait à l'extérieur et aux autres hommes, il se nourrit des pensées des grands auteurs.

Malgré leurs rêves et espoirs, ces personnages seront rattrapés par le monde ; le faire complètement disparaître est impossible et tous les refuges ne sont que temporaires.

Confiance et trahison

Les personnages des différentes nouvelles viennent nous montrer, chacun à leur manière, qu'en plaçant toute sa confiance en l'humanité, on risque d'être déçu. S... est trompé par sa femme dont la beauté n'était pas naturelle, Albert Mézigue par celle qu'il aimait, le narrateur de « J'ai soif d'innocence » par Taratonga, le conférencier de « Je parle de l'héroïsme » par le professeur Bonbon...

Parmi tous ces personnages, Herr Loewy est le plus optimiste. Il a une confiance inébranlable en l'humanité. Sa certitude est, en même temps, un peu naïve. Il est d'ailleurs renvoyé aux rêves d'enfants, au merveilleux : Karl Loewy fabrique des jouets dans son usine. Il sera trahi par ceux qui semblaient le protéger : le couple Schutz lui ment

Genre, action, personnages

pour s'emparer de ses biens. Ignorant la trahison de ses amis, il mourra pourtant heureux. Le message de Gary se trouve là : l'humanité est souvent décevante mais il ne faut pas cependant arrêter de croire en elle. L'homme véritable est encore à inventer.

Gloire à nos illustres pionniers

Le terme de « pionnier » apparaît d'ailleurs souvent dans ces nouvelles. Lorsque cet ensemble de textes est publié, en 1962, le titre du recueil est *Gloire à nos illustres pionniers* (le titre est remplacé par *Les oiseaux vont mourir au Pérou* en 1975, lorsque Gary adapte la nouvelle portant ce nom pour le cinéma). Le pionnier est celui qui accomplit quelque chose le premier, en ouvrant la voie à ses successeurs. Gary explique sa formule dans la citation qu'il place au début de son recueil de nouvelles – il l'attribue à un écrivain imaginaire mais il en est en fait l'auteur :

« L'homme – mais bien sûr, mais comment donc, nous sommes parfaitement d'accord : un jour il se fera ! Un peu de patience, un peu de persévérance ! on n'en est plus à dix mille ans près. Il faut savoir attendre, mes bons amis, et surtout voir grand, apprendre à compter en âges géologiques, avoir de l'imagination : alors là, l'homme ça devient tout à fait possible, probable même : il suffira d'être encore là quand il se présentera. Pour l'instant, il n'y a que des traces, des rêves, des pressentiments... Pour l'instant, l'homme n'est qu'un pionnier de lui-même. Gloire à nos illustres pionniers ! »

L'homme est encore imparfait, incomplet. Il doit évoluer avant de devenir vraiment humain et cette évolution, comme toutes les grandes évolutions, prendra du temps. En attendant, il est souvent décevant, n'agit pas toujours bien – mais il faut garder espoir.

Genre, action, personnages
Personnages

L'histoire, dans ces nouvelles, se construit autour d'un personnage principal et d'un personnage antagoniste représentant l'élément perturbateur qui vient lancer l'intrigue. Le développement des histoires et leur chute naissent d'une rencontre, d'un conflit : entre un homme persécuté et ceux qui proposent de l'aider, entre deux rivaux en affaires, entre deux rivaux en amour, entre un conférencier et son spectateur ironique, entre un voyageur et l'autochtone faussement naïve dont il pensait profiter.

Le nom des personnages

Les personnages, vivant dans des pays différents, pour beaucoup hors de la France, ont des noms appropriés à leur nationalité. Leur lecture suffit généralement à situer l'origine des personnages : Karl Loewy et Schutz sont allemands, Albert Mézigue, Joseph Tantignol, Marius Pichardon français, du sud de la France, Baretta est italien, Taratonga et l'île où elle habite, Taratora, reprennent des sonorités tahitiennes, etc.

Gary choisit souvent d'attribuer à ses personnages des noms qu'il est possible de traduire et d'interpréter. Chez les personnages allemands, les deux traîtres qui enferment leur patron et ami pour le dépouiller de ses biens sous le prétexte de le protéger s'appellent, ironiquement, Schutz, « protection ». Loewy, déclinaison de Levy, suggère surtout que le personnage est juif. Mézigue, parmi les noms de personnages français, signifie « moi » en argot.

Plusieurs personnages n'ont, quant à eux, pas de nom. Lorsqu'il s'agit de personnages secondaires, dont la sphère d'action est limitée dans le texte, l'absence de nom révèle leur moindre importance. Le propriétaire de l'hôtel de « J'ai soif d'innocence », le guide et le policier de « Citoyen pigeon », le maître d'hôtel et les domestiques du « Faux », l'ami de Karl Loewy à la fin de « Un humaniste » sont désignés uniquement par leur fonction et sont ainsi réduits au rôle précis qu'ils jouent pendant un moment de la nouvelle.

Pour « Je parle de l'héroïsme » et « J'ai soif d'innocence », cet anonymat peut s'expliquer par le choix d'un narrateur à la première personne. Racontant l'histoire, il n'a pas besoin de donner son propre nom. Le procédé laisse, en même temps, la porte ouverte à toutes les interprétations. Le lecteur risque, de ce fait, d'être tenté d'y reconnaître l'auteur, même si ce n'est évidemment pas le cas.

Genre, action, personnages

« Le faux », en désignant le personnage principal comme « S... », donne l'impression que celui-ci existe vraiment mais que l'auteur ne veut pas donner son nom complet, pour préserver son anonymat. Cette technique, qui était notamment très employée par les écrivains du XVIIIe siècle, renforce l'aspect réaliste de la nouvelle.

L'apparence des personnages

Les personnages, dans une nouvelle, ne peuvent pas être aussi développés que dans un roman. Certains traits physiques, certaines caractéristiques, certains éléments qui leur sont associés suffisent à tracer leur portrait.

Le conférencier de « Je parle de l'héroïsme » montre d'emblée, malgré lui, par son apparence, qu'il ne correspond en rien au héros auquel il veut ressembler : il pense au poids qu'il a perdu, à l'éclairage flatteur, aux décorations honorifiques qu'il porte – des décorations qui, justement, ne sont pas liées à des actes d'héroïsme.

Le riche marchand de tableaux du « Faux » possède une liste d'objets et de biens adaptés à son statut social, un grand appartement, des tableaux, des cigares. Son rival, Baretta, est habillé avec une élégance recherchée qui souligne qu'il veut paraître respectable. Quant à la description idéalisée de la femme de S..., elle explique déjà pourquoi le mari de celle-ci ne pourra pas lui pardonner son mensonge physique. Pour S..., plus qu'une femme, Alfiera est « un chef-d'œuvre ». Les parents d'Alfiera, eux, sont dépeints de manière ridicule. Leur absence de grâce, de charme et de beauté annonce la disgrâce de leur fille.

Le cadre

La description du cadre, comme celle des personnages, s'en tient à quelques éléments caractéristiques qui servent à la fois à poser le décor, en renforçant l'impression de réel, et à transmettre un point de vue, des émotions.

Accompagnant le voyage de deux touristes en pays étranger, « Citoyen pigeon » insiste particulièrement sur les éléments locaux, les noms de lieux (le Kremlin, le musée de la Révolution, le mausolée de Lénine...), les coutumes locales et le vocabulaire russe. La neige qui recouvre la ville ajoute à l'image typique du pays.

« J'ai soif d'innocence » se concentre sur des images de carte postale. Le narrateur, qui idéalise les îles polynésiennes, décrit le paysage en retenant les stéréotypes qui font de ces îles un paradis sur terre.

Pour approfondir

Thèmes et textes

Le voyage, l'ailleurs

Lui-même grand voyageur, Romain Gary a souvent situé ses nouvelles et romans dans des ailleurs variés. Le voyage est une ouverture, un enrichissement, un pas vers l'inconnu mais, pour apprécier l'ailleurs, encore faut-il avoir l'esprit ouvert et le goût de l'aventure et de la découverte.

Documents

❶ Extrait des *Aventures prodigieuses de Tartarin de Tarascon* d'Alphonse Daudet (1872)

❷ Extrait du *Voyage autour du monde par la frégate la Boudeuse et la flûte l'Étoile* de Louis Antoine de Bougainville (1771)

❸ Extrait du *Voyage en Russie* de Théophile Gautier (1866)

❹ Extrait du *Voyage* de Charles Baudelaire (1861)

1 *Tartarin vit dans la ville provençale de Tarascon. Il a lu beaucoup de livres de voyages et rêve d'aventures... mais il n'a jamais encore osé sortir de sa ville natale.*

Avec cette rage d'aventures, ce besoin d'émotions fortes, cette folie de voyages, de courses, de diable au vert, comment diantre se trouvait-il que Tartarin de Tarascon n'eût jamais quitté Tarascon ?

Car c'est un fait. Jusqu'à l'âge de quarante-cinq ans, l'intrépide Tarasconnais n'avait pas une fois couché hors de sa ville. Il n'avait pas même fait ce fameux voyage à Marseille, que tout bon Provençal se paie à sa majorité. C'est au plus s'il connaissait Beaucaire, et cependant Beaucaire n'est pas bien loin de Tarascon, puisqu'il n'y a que le pont à traverser. Malheureusement ce diable de pont a été si souvent emporté par les coups de vent, il est si long, si frêle, et le Rhône a tant de largeur à cet endroit que, ma foi ! vous comprenez... Tartarin de Tarascon préférait la terre ferme. [...]

Une fois cependant Tartarin avait failli partir, partir pour un grand voyage. [...]

En fin de compte, Tartarin ne partit pas, mais toutefois cette histoire lui fit beaucoup d'honneur. Avoir failli aller à Shang-Haï ou y être allé, pour Tarascon, c'était tout comme. À force de parler du voyage de Tartarin, on finit par croire qu'il en revenait, et le soir, au cercle, tous ces messieurs lui demandaient des renseignements sur la vie à Shang-Haï, sur les mœurs, le climat, l'opium, le haut commerce.

Tartarin, très bien renseigné, donnait de bonne grâce les détails qu'on voulait, et, à la longue, le brave homme n'était pas bien sûr lui-même de n'être pas allé à Shang-Haï, si bien qu'en racontant pour la centième fois la descente des Tartares, il en arrivait à dire très naturellement : « Alors, je fais armer mes commis, je hisse le pavillon consulaire, et pan ! pan ! par les fenêtres, sur les Tartares. » En entendant cela, tout le cercle frémissait…

2 *En 1766, Bougainville part, à bord du bateau* la Boudeuse, *pour un voyage autour du monde qui le conduit, notamment, en Polynésie.*

Le caractère de la nation nous a paru être doux et bienfaisant. Il ne semble pas qu'il y ait dans l'île aucune guerre civile, aucune haine particulière, quoique le pays soit divisé en petits cantons qui ont chacun leur seigneur indépendant. Il est probable que les Tahitiens pratiquent entre eux une bonne foi dont ils ne doutent point. Qu'ils soient chez eux ou non, jour ou nuit, les maisons sont ouvertes. Chacun cueille les fruits sur le premier arbre qu'il rencontre, en prend dans la maison où il entre. Il paraîtrait que, pour les choses absolument nécessaires à la vie, il n'y a point de propriété et que tout est à tous. Avec nous, ils étaient filous habiles, mais d'une timidité qui les faisait fuir à la moindre menace. Au reste, on a vu que les chefs n'approuvaient point ces vols, qu'ils nous pressaient au contraire de tuer ceux qui les commettaient.

3 *Pendant l'hiver 1858-1859, Théophile Gautier voyage en Russie. Quittant Saint-Pétersbourg, il vient d'arriver à Moscou.*

Au débarcadère était ameuté tout un peuple d'isvoschiks offrant leurs traîneaux aux voyageurs, et cherchant à décider leur préférence. Nous en choisîmes deux. Nous montâmes dans l'un avec notre compagnon et l'autre fut chargé de nos malles. Selon la coutume des cochers russes qui n'attendent jamais qu'on leur désigne l'endroit où l'on va, nos conducteurs firent prendre à leurs bêtes un galop préalable et se

Thèmes et textes

lancèrent dans une direction quelconque. Ils ne manquent jamais à cette espèce de fantasia.

La neige était tombée en bien plus grande abondance à Moscou qu'à Saint-Pétersbourg, et la piste des traîneaux, dont les bords avaient été soigneusement relevés à la pelle, dépassait le niveau des trottoirs dégagés de plus de cinquante centimètres. Sur cette couche épaisse et miroitée par les patins des traîneaux nos frêles équipages volaient comme le vent, et les pieds des chevaux envoyaient, dru comme grêle, des parcelles glacées contre le cuir du paraneige. [...]

Après quelques instants d'une course insensée, nos cochers, jugeant la discrétion poussée assez loin, s'étaient retournés sur leur siège et nous avaient demandé où nous allions. Nous leur indiquâmes l'hôtel Chevrier, rue des Vieilles-Gazettes. Ils reprirent leur course vers un but désormais certain. Pendant la route, nous regardions avidement à droite et à gauche sans rien voir de bien caractéristique. Moscou s'est formé par zones concentriques ; l'extérieure est la plus moderne et la moins intéressante. Le Kremlin, qui était autrefois toute la ville, en présente le cœur et la moelle.

4 Pour l'enfant, amoureux de cartes et d'estampes,
L'univers est égal à son vaste appétit.
Ah ! que le monde est grand à la clarté des lampes !
Aux yeux du souvenir que le monde est petit !

Un matin nous partons, le cerveau plein de flamme,
Le cœur gros de rancune et de désirs amers,
Et nous allons, suivant le rythme de la lame,
Berçant notre infini sur le fini des mers :

Les uns, joyeux de fuir une patrie infâme ;
D'autres, l'horreur de leurs berceaux, et quelques-uns,
Astrologues noyés dans les yeux d'une femme,
La Circé tyrannique aux dangereux parfums.

Pour n'être pas changés en bêtes, ils s'enivrent
D'espace et de lumière et de cieux embrasés ;

La glace qui les mord, les soleils qui les cuivrent,
Effacent lentement la marque des baisers.

Mais les vrais voyageurs sont ceux-là seuls qui partent
Pour partir ; cœurs légers, semblables aux ballons,
De leur fatalité jamais ils ne s'écartent,
Et sans savoir pourquoi, disent toujours : Allons !

Ceux-là, dont les désirs ont la forme des nues,
Et qui rêvent, ainsi qu'un conscrit le canon,
De vastes voluptés, changeantes, inconnues,
Et dont l'esprit humain n'a jamais su le nom !

Pour approfondir

Thèmes et textes

Les livres et la lecture

Les livres enrichissent leurs lecteurs, nourrissent leur imaginaire ; ils font rêver, voyager, réfléchir. La lecture, source de connaissance, est également un moyen d'évasion. À condition de ne pas préférer les livres à la réalité et de ne pas finir par trop s'éloigner du monde.

Documents

❶ Extrait de l'*Encyclopédie, ou dictionnaire raisonné des sciences, des arts et des métiers* de Diderot et d'Alembert, article « livre » (1751-1772)

❷ Extrait de *Questions sur l'Encyclopédie par des amateurs* de Voltaire, article « livre » (1770)

❸ Extrait de *L'Ingénieux Hidalgo Don Quichotte de la Manche* de Miguel de Cervantès (1605-1615)

❹ Extrait d'*Anna Karénine* de Léon Tolstoï (1877)

Pour approfondir

❶ Le but ou le dessein des livres sont différents, selon la nature des ouvrages : les uns sont faits pour montrer l'origine des choses ou pour exposer de nouvelles découvertes, d'autres pour fixer et établir quelque vérité, ou pour pousser une science à un plus haut degré ; d'autres pour dégager les esprits des idées fausses, et pour fixer plus précisément les idées des choses ; d'autres pour expliquer les noms et les mots dont se servent différentes nations ou qui étaient en usage en différents âges ou parmi différentes sectes ; d'autres ont pour but d'éclaircir, de constater la vérité des faits, des événements, et d'y montrer les voies et les ordres de la providence ; d'autres n'embrassent que quelques-unes de ces parties, d'autres en réunissent la plupart et quelquefois toutes.

❷ Vous les méprisez, les livres, vous dont toute la vie est plongée dans les vanités de l'ambition et dans la recherche des plaisirs ou dans l'oisiveté ; mais songez que tout l'univers connu n'est gouverné que par des livres, excepté les nations sauvages. [...] Si vous avez un procès, votre bien, votre honneur, votre vie même dépend de l'interprétation d'un livre que vous ne lisez jamais. [...] Qui mène le genre humain dans les pays policés ? ceux qui savent lire et écrire. [...]

Aujourd'hui on se plaint du trop : mais ce n'est pas aux lecteurs à se plaindre ; le remède est aisé, rien ne les force à lire. Ce n'est pas non plus aux auteurs : ceux qui font la foule ne doivent pas crier qu'on les presse. Malgré la quantité énorme de livres, combien peu de gens lisent ! et si on lisait avec fruit, verrait-on les déplorables sottises auxquelles le vulgaire se livre encore tous les jours en proie ?

3 *Grand lecteur de livres de chevalerie, Don Quichotte finira par décider de devenir lui-même chevalier. Mais toutes ses lectures ont faussé son jugement et ce qu'il voit autour de lui est loin de la réalité.*

Or, il faut savoir que cet hidalgo, dans les moments où il restait oisif, c'est-à-dire à peu près toute l'année, s'adonnait à lire des livres de chevalerie, avec tant de goût et de plaisir, qu'il en oublia presque entièrement l'exercice de la chasse et même l'administration de son bien. Sa curiosité et son extravagance arrivèrent à ce point qu'il vendit plusieurs arpents de bonnes terres à labourer pour acheter des livres de chevalerie à lire. Aussi en amassa-t-il dans sa maison autant qu'il put s'en procurer. [...] Enfin, notre hidalgo s'acharna tellement à sa lecture, que ses nuits se passaient en lisant du soir au matin, et ses jours, du matin au soir. Si bien qu'à force de dormir peu et de lire beaucoup, il se dessécha le cerveau, de manière qu'il vint à perdre l'esprit. Son imagination se remplit de tout ce qu'il avait lu dans les livres, enchantements, querelles, défis, batailles, blessures, galanteries, amours, tempêtes et extravagances impossibles ; et il se fourra si bien dans la tête que tout ce magasin d'inventions rêvées était la vérité pure, qu'il n'y eut pour lui nulle autre histoire plus certaine dans le monde.

4 *Anna Karénine, accompagnée d'Annouchka, sa femme de chambre, quitte Moscou en train, pour rejoindre Saint-Pétersbourg. Pour éviter de discuter avec les autres passagères, elle décide de lire.*

Tout d'abord, il lui fut difficile de lire ; on allait et venait autour d'elle ; une fois le train en mouvement, elle écouta involontairement ce qui se passait au-dehors ; la neige qui battait les vitres, le conducteur qui passait couvert de flocons, la conversation de ses compagnes de voyage

Pour approfondir

Thèmes et textes

qui s'entretenaient de la tempête qu'il faisait, tout lui donnait des distractions. Ce fut plus monotone ensuite ; toujours les mêmes secousses et le même bruit, la même neige à la fenêtre, les mêmes changements brusques de température du chaud au froid, puis encore au chaud, les mêmes visages entrevus dans la demi-obscurité, les mêmes voix ; enfin elle parvint à lire et à comprendre ce qu'elle lisait. Annouchka sommeillait déjà, tenant le petit sac rouge sur ses genoux, de ses grosses mains couvertes de gants, dont l'un était déchiré. Anna lisait et comprenait ce qu'elle lisait, mais la lecture, c'est-à-dire le fait de s'intéresser à la vie d'autrui, lui devenait intolérable, elle avait trop besoin de vivre par elle-même. L'héroïne de son roman soignait des malades : elle aurait voulu marcher elle-même bien doucement dans une chambre de malade ; un membre du Parlement tenait un discours : elle aurait voulu le prononcer à sa place ; lady Mary montait à cheval et étonnait le monde par son audace : elle aurait voulu en faire autant. Mais il fallait rester tranquille, et de ses petites mains elle tourmentait son couteau à papier en cherchant à prendre patience.

Confiance, mensonge et trahison

Peut-on faire confiance à son prochain ? Pour certains, la confiance en un homme ou en l'humanité va de soi. Pour d'autres, elle est difficile à accorder et risque d'être trompée. La trahison est d'autant plus grande si celui qui en est la victime accordait toute sa confiance à celui qui ment ou trahit.

Documents

❶ Extrait des *Misérables* de Victor Hugo (1862)
❷ Extrait de *Britannicus* de Jean Racine (1669)
❸ Extrait des *Confessions* de Jean-Jacques Rousseau (1782)

❶ *Jean Valjean, arrêté pour avoir volé du pain, a passé dix-neuf ans au bagne. Il vient d'être libéré et est rejeté de partout lorsqu'il cherche un endroit pour dormir. Enfin, quelqu'un lui ouvre sa porte, en le traitant comme un être humain et non comme un ancien détenu.*

Vrai ? quoi ? vous me gardez ? vous ne me chassez pas ! un forçat ! vous m'appelez monsieur ! vous ne me tutoyez pas ! Va-t'en, chien ! qu'on me dit toujours. Je croyais bien que vous me chasseriez. Aussi j'avais dit tout de suite qui je suis. Oh ! la brave femme qui m'a enseigné ici ! je vais souper ! un lit ! un lit avec des matelas et des draps ! comme tout le monde ! il y a dix-neuf ans que je n'ai couché dans un lit ! vous voulez bien que je ne m'en aille pas ! Vous êtes de dignes gens ! D'ailleurs j'ai de l'argent. Je payerai bien. Pardon, monsieur l'aubergiste, comment vous appelez-vous ? je payerai tout ce qu'on voudra. Vous êtes un brave homme.

Pendant la nuit, Jean Valjean se réveille. Il repense à l'argenterie que son hôte, monseigneur Bienvenu, l'évêque de Digne, a sorti pour leur repas.

Ces six couverts d'argent l'obsédaient. – Ils étaient là. – À quelques pas. – À l'instant où il avait traversé la chambre d'à côté pour venir dans celle où il était, la vieille servante les mettait dans un petit placard à la tête du lit. – Il avait bien remarqué ce placard. – À droite, en entrant par la salle à manger. – Ils étaient massifs. – Et de vieille argenterie. – Avec la grande cuiller, on en tirerait au moins deux cents francs. – Le double de

Thèmes et textes

ce qu'il avait gagné en dix-neuf ans. – Il est vrai qu'il eût gagné davantage si « l'administration » ne l'avait pas « volé ».

Son esprit oscilla toute une grande heure dans des fluctuations auxquelles se mêlait bien quelque lutte. Trois heures sonnèrent. Il rouvrit les yeux, se dressa brusquement sur son séant, étendit le bras et tâta son havresac qu'il avait jeté dans le coin de l'alcôve, puis il laissa pendre ses jambes et poser ses pieds à terre, et se trouva, presque sans savoir comment, assis sur son lit.

Passant devant l'évêque endormi, Jean Valjean a un moment d'hésitation.

Son œil ne se détachait pas du vieillard. La seule chose qui se dégageât clairement de son attitude et de sa physionomie, c'était une étrange indécision. On eût dit qu'il hésitait entre les deux abîmes, celui où l'on se perd et celui où l'on se sauve. Il semblait prêt à briser ce crâne ou à baiser cette main.

Au bout de quelques instants, son bras gauche se leva lentement vers son front, et il ôta sa casquette, puis son bras retomba avec la même lenteur, et Jean Valjean rentra dans sa contemplation, sa casquette dans la main gauche, sa massue dans la main droite, ses cheveux hérissés sur sa tête farouche.

L'évêque continuait de dormir dans une paix profonde sous ce regard effrayant.

Un reflet de lune faisait confusément visible au-dessus de la cheminée le crucifix qui semblait leur ouvrir les bras à tous les deux, avec une bénédiction pour l'un et un pardon pour l'autre.

Tout à coup Jean Valjean remit sa casquette sur son front, puis marcha rapidement, le long du lit, sans regarder l'évêque, droit au placard qu'il entrevoyait près du chevet ; il leva le chandelier de fer comme pour forcer la serrure ; la clef y était ; il l'ouvrit ; la première chose qui lui apparut fut le panier d'argenterie ; il le prit, traversa la chambre à grands pas sans précaution et sans s'occuper du bruit, gagna la porte, rentra dans l'oratoire, ouvrit la fenêtre, saisit son bâton, enjamba l'appui du rez-de-chaussée, mit l'argenterie dans son sac, jeta le panier, franchit le jardin, sauta par-dessus le mur comme un tigre, et s'enfuit.

2 *À la mort de Claude, l'empereur de Rome, sa femme Agrippine a écarté du trône leur fils Britannicus, l'héritier légitime. Néron, fils d'Agrippine issu d'un premier mariage, est devenu empereur. Tombé amoureux de Junie, qui aime Britannicus, Néron l'a enlevée. Il est déterminé à tout faire pour qu'elle lui appartienne. Agrippine, cette fois, soutient Britannicus. Néron explique ses projets à Burrhus, son conseiller.*

NÉRON

Je ne vous flatte point, je me plaignais de vous,
Burrhus : je vous ai crus tous deux d'intelligence,
Mais son inimitié vous rend ma confiance.
Elle se hâte trop, Burrhus, de triompher :
J'embrasse mon rival, mais c'est pour l'étouffer.

BURRHUS

Quoi, Seigneur ?

NÉRON

C'en est trop : il faut que sa ruine
Me délivre à jamais des fureurs d'Agrippine.
Tant qu'il respirera je ne vis qu'à demi.
Elle m'a fatigué de ce nom ennemi ;
Et je ne prétends pas que sa coupable audace
Une seconde fois lui promette ma place.

BURRHUS

Elle va donc bientôt pleurer Britannicus ?

NÉRON

Avant la fin du jour je ne le craindrai plus.

BURRHUS

Et qui de ce dessein vous inspire l'envie ?

NÉRON

Ma gloire, mon amour, ma sûreté, ma vie.

BURRHUS

Non, quoi que vous disiez, cet horrible dessein
Ne fut jamais, Seigneur, conçu dans votre sein.

Thèmes et textes

NÉRON

    Burrhus !

BURRHUS

    De votre bouche, ô ciel ! puis-je l'apprendre ?
    Vous-même sans frémir avez-vous pu l'entendre ?
    Songez-vous dans quel sang vous allez vous baigner ?
    Néron dans tous les cœurs est-il las de régner ?
    Que dira-t-on de vous ? Quelle est votre pensée ?

NÉRON

    Quoi ? toujours enchaîné de ma gloire passée,
    J'aurai devant les yeux je ne sais quel amour
    Que le hasard nous donne et nous ôte en un jour ?
    Soumis à tous leurs vœux, à mes désirs contraire,
    Suis-je leur empereur seulement pour leur plaire ?

BURRHUS

    Et ne suffit-il pas, Seigneur, à vos souhaits
    Que le bonheur public soit un de vos bienfaits ?
    C'est à vous à choisir, vous êtes encor maître.
    Vertueux jusqu'ici, vous pouvez toujours l'être :
    Le chemin est tracé, rien ne vous retient plus ;
    Vous n'avez qu'à marcher de vertus en vertus.
    Mais si de vos flatteurs vous suivez la maxime,
    Il vous faudra, Seigneur, courir de crime en crime,
    Soutenir vos rigueurs par d'autres cruautés,
    Et laver dans le sang vos bras ensanglantés.

3 *À Turin, le jeune Rousseau, âgé de seize ans, est employé comme laquais chez Mme de Vercellis. Celle-ci vient de mourir.*

Il est bien difficile que la dissolution d'un ménage n'entraîne un peu de confusion dans la maison, et qu'il ne s'égare bien des choses ; cependant, telle était la fidélité des domestiques et la vigilance de M. et Mme Lorenzini, que rien ne se trouva de manque sur l'inventaire. La seule Mlle Pontal perdit un petit ruban couleur de rose et argent, déjà vieux. Beaucoup d'autres meilleures choses étaient à ma portée ;

ce ruban seul me tenta, je le volai, et comme je ne le cachais guère, on me le trouva bientôt.

On voulut savoir où je l'avais pris. Je me trouble, je balbutie, et enfin je dis, en rougissant, que c'est Marion qui me l'a donné. Marion était une jeune Mauriennoise dont Mme de Vercellis avait fait sa cuisinière, quand, cessant de donner à manger, elle avait renvoyé la sienne, ayant plus besoin de bons bouillons que de ragoûts fins. Non seulement Marion était jolie, mais elle avait une fraîcheur de coloris qu'on ne trouve que dans les montagnes, et surtout un air de modestie et de douceur qui faisait qu'on ne pouvait la voir sans l'aimer ; d'ailleurs bonne fille, sage, et d'une fidélité à toute épreuve.

C'est ce qui surprit quand je la nommai. L'on n'avait guère moins de confiance en moi qu'en elle, et l'on jugea qu'il importait de vérifier lequel était le fripon des deux. On la fit venir ; l'assemblée était nombreuse, le comte de la Roque y était. Elle arrive, on lui montre le ruban, je la charge effrontément ; elle reste interdite, se tait, me jette un regard qui aurait désarmé les démons, et auquel mon barbare cœur résiste. Elle nie enfin avec assurance, mais sans emportement, m'apostrophe, m'exhorte à rentrer en moi-même, à ne pas déshonorer une fille innocente qui ne m'a jamais fait de mal ; et moi, avec une impudence infernale, je confirme ma déclaration, et lui soutiens en face qu'elle m'a donné le ruban. La pauvre fille se mit à pleurer, et ne me dit que ces mots : « Ah ! Rousseau, je vous croyais un bon caractère. Vous me rendez bien malheureuse ; mais je ne voudrais pas être à votre place. Voilà tout. » Elle continua de se défendre avec autant de simplicité que de fermeté, mais sans se permettre jamais contre moi la moindre invective. Cette modération, comparée à mon ton décidé, lui fit tort. Il ne semblait pas naturel de supposer d'un côté une audace aussi diabolique, et de l'autre une aussi angélique douceur. On ne parut pas se décider absolument, mais les préjugés étaient pour moi. Dans le tracas où l'on était, on ne se donna pas le temps d'approfondir la chose ; et le comte de la Roque, en nous renvoyant tous deux, se contenta de dire que la conscience du coupable vengerait assez l'innocent. Sa prédiction n'a pas été vaine : elle ne cesse pas un seul jour de s'accomplir.

Pour approfondir

Bibliographie et filmographie

Quelques œuvres de Romain Gary

Éducation européenne, Gallimard, 1945
> ▶ Le premier roman de Gary, qui a remporté le prix des Critiques en 1945. Un jeune Polonais de dix-sept ans apprend à survivre avec les partisans dans la forêt, pendant la Seconde Guerre mondiale.

La Promesse de l'aube, Gallimard, 1960
> ▶ Romain Gary évoque sa jeunesse, avec tendresse et humour, traçant notamment un beau portrait de sa relation avec sa mère.

Gros-Câlin, Gallimard, 1974
> ▶ Premier roman signé Ajar. Cousin, un employé de bureau original qui vit avec un python, y décrit son quotidien.

Les Oiseaux vont mourir au Pérou, Gallimard, 1975
> ▶ Le recueil de nouvelles de Gary, qui comporte neuf nouvelles en plus de celles présentées ici.

La Vie devant soi, Gallimard, 1975
> ▶ Publié sous le pseudonyme d'Émile Ajar, ce roman présente l'histoire touchante de Momo, un enfant arabe élevé par une vieille prostituée juive. Il est écrit dans le style vivant et inventif qui caractérise Ajar.

Les Cerfs-volants, Gallimard, 1980
> ▶ Le dernier roman de Romain Gary, qui raconte l'histoire d'amour de Ludo, un garçon qui a trop de mémoire, et de la fantasque Lila, avant, pendant et après la Seconde Guerre mondiale.

Romain Gary parle de lui-même

La Nuit sera calme, Gallimard, 1974
> ▶ Le texte est présenté comme un entretien de Gary avec un journaliste, mais Gary a écrit les questions et les réponses. Il parle de sa vie, de ses romans, de sa manière de voir le monde.

L'Affaire homme, Gallimard, 1977
> ▶ Un recueil qui rassemble des articles écrits par Gary et des entretiens parus dans la presse. Pour en apprendre plus sur Gary, en dehors de ses écrits romanesques.

Bibliographie et filmographie

Romain Gary, le nomade multiple : entretiens avec André Bourin, Les Grandes Heures, INA/France Culture, 2006

▶ Reprenant un ensemble d'émissions diffusées sur France Culture en 1969, ce double CD permet d'écouter un long entretien de Romain Gary avec André Bourin. Avec son franc-parler et son humour, il y évoque sa vie et son œuvre.

Pour approfondir

Dans la même collection :

Photocomposition : Jouve Saran
Impression : La Tipografica Varese S.p.A. (Italie)
Dépôt légal : février 2012 - 306872/06
N° Projet : 11029326 – Août 2014